僕はなぜ一生外国語を学ぶのか

ロバート・ファウザー 著

稲川右樹 訳

CUON

僕はなぜ一生外国語を学ぶのか

ロバート・ファウザー 著

稲川右樹 訳

This book is published with the support of
the Literature Translation Institute of Korea (LTI Korea).

日本の読者の皆さんへ

この本は、新型コロナウイルスによるパンデミック直前の2019年末に書き始めた。パンデミックが深刻化し旅行はもちろん外出自体が困難な状況となったため執筆に集中することとし、2020年に脱稿、2021年夏に韓国で出版された。以前であれば年に一度は訪れていた日本と韓国にも長い間行くことができず、言葉を忘れてしまうのではないかとも心配したが、この本を韓国語で書くことで韓国から離れている間にも韓国語を使うことができた。執筆中この本が僕の「韓国の友達」となってくれたことを感謝している。

しかし、この本を書きたいと思ったのは、それよりもずっと以前までさかのぼる。

僕が初めて外国語に触れたのは、16歳だった1978年の夏、東京近郊でホームステイをした時だ。滞在した2か月間でいくつかの単語と（最初に覚えた言葉は「暑い」だった）簡単な表現を学び、それらを使うたびに言葉が通じる瞬間に出会えて嬉しかった。まだこの時は文字を学ぶことはなく、音から学んだ。

その後アメリカに戻り、9月からの新学期にすべりこみでスペイン語を申し込み、初めて外国語を授業で学ぶことになった。当時その学校には日本語の授業がなく、あったのはスペイン語、フランス語、ドイツ語、ロシア語、そしてラテン語。アメリカの学校で外国語は選択制なので、必ず学ばなければならない言語はない。スペイン語を選んだのはメキシコから来たスペイン語の先生の評判が良かったからだ。日本で単語をいくつか学んだときとは異なり、スペイン語の授業では文法はもちろん書き方、読み方もあり、机に向かって、単語レベルではなく主に文章単位で学んだ。先生からたびたび発音をほめられ、日本にいた時に感じた言葉が通じる瞬間の喜びを改めて感じたので「勉強」が苦にならなかった。同じクラスに友達が複数いて、彼らと一緒に宿題をするのも楽しかった。

高校２年生になる直前の休暇と最初の学期というほんの数か月間に、外国語に関する良い経験を重ねることができたことは、その後の人生に大きな影響を与えた。

高校のスペイン語の授業は常に面白く成績も良かったので、高校卒業まで勉強し続けた。高校３年生の時に得た奨学金で卒業後にメキシコシティでのホームステイをしたのだが、学校で２年間学んだことをようやく現場で使えるようになったことが嬉しかった。その秋ミシガン大学に進学してからもスペイン語の勉強は継続し、高校時代とは勉強量や難易度は違ったものの、楽しく学んだ。

その一方で日本語を勉強したいという気持ちが消えることはなく、大学１年修了時に「集中日本語」の授業を取った、１学年分に相当する初級の内容を10週間で学ぶことができるもので、授業は月曜日から金曜日まで毎日５時間、宿題もたくさん出された。日本の小学生が学ぶ漢字をほぼすべて覚えなければならず毎日漢字の小テストがあり、とても大変な授業だった。しかし、日本語を学びたいという気持ちが強かったのでどんなに辛くても「闘争」し続けた。先生はとても厳しかったが、学生への愛情と期待も大きかった。このクラスを終えてからも日本語を勉強し続け、最終的に大学の専攻に選ぶことになる。そして２年生修了後の夏休みを日本で過ごし、言葉をたくさん学んだ。

大学で日本語を勉強しているときに出会ったのが韓国語だ。日本語のクラスにいた韓国人留学生と次第に仲良くなったのだが、彼らにとって日本語は簡単な言語。そこで僕に「日本語を苦労した分、韓国語は簡単に学べるから一度学んでみたら」と勧めてくれたのだ。夏休みに韓国を数日間訪問して韓国に興味を持ったものの、残念ながら当時ミシガン大学には韓国語の授業がなく、韓国へ渡って勉強するしかなかった。僕は、韓国行きを決意した。

当時韓国で外国人向けの韓国語の授業を開講していたのはソウル大学と延世大学のみで、僕はソウル大学の語学研究所（現在の言語教育院）に通うことにした。この授業も（以前に大学で受講した「初級日本語」と同様）毎日５時間の集中講義だった。文法中心の教授法も似ていたが、今回は実際に言葉が使われる現場で学んだので、習得スピードが速かった。留学生の友人が言っていたとおり、最初に日本語を勉強したことは有利だった。その頃はまだ韓国の新聞にも漢字がよく使われていたが、日本語を学んでいたおかげで簡単に読むことができた。１年間で上級クラスまで修了し韓国語を上手く使えるようになり、目標を達成することができてとても嬉しかった。

韓国での韓国語集中授業の修了とともに、学校での外国語学習時代は幕を閉じた。大学院では言語学を専攻し言語学の一般理論と外国語教育学を学んだが、外国語の授業は受けなかった。すでに学んだ日本語と韓国語をできる限り使ったが、これは「学習期」から「実践期」への転換であった。使いながら少しずつでもさらに学びたいという欲はあったが、すでに培ったスキルを維持することも重要だった。この間スペイン語をあまり使わなくなり、残念ながら実力が落ちてしまったが、一日にできることは限られているので納得するしかなかった。

その後韓国で英語を教えているときに、語学学校で趣味のように外国語を勉強している人が多いことに気付いた。同時に、僕が韓国語の学習期から離れるにつれて、英語が苦手な学生の立場への共感が薄れていくのを感じた。そこで僕も趣味として新たな言語を学ぼうと、ソウルのゲーテ・インスティトゥートでドイツ語を勉強し始めることにした。集中授業ではなく、週に３回・夜間２時間の授業だった。ドイツ語は英語と似ているところがあるので特に難しさは感じなかったが、日本語や韓国語を勉強するときのような集中力がなく、そんな自分にイライラすることもあった。趣味として外国語を学ぶことの限界と、それでも忙しい日常の中で勉強できることへの感謝の両方を感じた。

趣味としての外国語学習から得られることは大きいと感じつつも、実践するのは容易ではない。1995年から日本の大学で英語の講師として忙しく暮らしながら、韓国語のスキルを維持するために韓国語を使うチャンスを一生懸命探していると、2006年に鹿児島大学で教養韓国語コースを設立する興味深い機会が巡ってきた。日本で英語のネイティブスピーカーとして教えていると日本人の英語教師と交流することが多く、英語教育の核心となる非母語話者教師の立場を理解しなければ英語教育を理解することは難しいと考えていた。そのため、非ネイティブスピーカーの立場で韓国語を教えることによって、韓国語と新たなつながりをもつことができ、さらには英語を教える日本人の心情を理解できるようになった。韓国語を教えながら、鹿児島で韓国人と交流し、韓国文化に触れる機会を見つけ、韓国語は僕にとって仕事以外の趣味のようになった。

このようにさまざまな外国語を学んできた経験を踏まえて、趣味としての外国語の可能性に興味を持ち続け、長い間悩み考えてきたことを一冊の本にまとめたいと思った。また言語練習中心のイタリア・スペイン旅行で実践した経験も読者の皆さんと共有したかった。こうして書き上げたこの本は、外国語学習のための完成された「秘訣」を披露するものではなく、趣味としての外国語の可能性を読者の皆さんと一緒に考えるきっかけになることを願っている。また、新たに学ぶことだけでなく、すでに学んだ言語のスキル維持も重要なのだが、社会的に話題になっていないためこの点も取り上げたいと考えた。

なおこの本は、2018年に韓国で刊行された『外国語伝播談』とも深い関係がある（この本の韓国語タイトルが『外国語学習談』なのはそのためだ）。ありがたいことに刊行後に韓国でブックトークをする機会が数多くあり、そのたびに参加者からは「どうすれば英語がうまくなるのか」という質問を受けた。大半の人は何かしら秘訣があるのではないかと期待しながら訊いてくるのだが、秘訣はない。そのことを伝えたいという気持ちもこの本を執筆する動機の一つとなった。日本と同じように韓国でも英語は必須科目で英語の成績が学業全体に大きな影響を及ぼしかねない。それだけに関心が高いのは当然なのだが、「英語」の意味を誇張し、必要以上のストレスを感じている人が多い。多少の違いはあるものの、英語は日本人にとっても大きな存在であり、同時に何かしらストレスの原因でもある。この本はその英語をもう少し冷静に考えてほしいという願いで書いた。そして、学生時代に苦労して学んだ英語を、「重い義務」から「面白い趣味」へと転換するのに役立つことを願っている。

最後に、この本では何よりも、外国語学習には主体性をもって行動することが重要だと強調している。外国語を学ぶ目的と価値を本人が主体的に決め、明るく開かれた気持ちで学習することだ。本書を読みながら自分の中に「外国語の行為主体性」を発見してほしいという思いで、この本を出版する。

2023年夏、アメリカ・ロードアイランド州プロビデンスにて

ロバート・ファウザー

目次

*本文中の〔 〕は訳注を表す

01

物語の始まりは
アメリカ・アナーバーに住む16歳の青年、
ロバート・ファウザーが
外国語を学んだ最初の記憶から

振り返ってみると、新しい外国語を巡礼しながら今まで生きてきた。10代後半から関心を持って学び始めた外国語は、僕には一生の友人であり、より広い世界を見ることができる窓だ。外国語で書かれた文章を初めて読み、その文章に込められたその言語固有のニュアンスを理解していると感じられたとき、胸がいっぱいになった気持ちは今でもはっきり覚えている。

10代後半からの外国語巡礼

1961年にアメリカで生まれた僕は、20代から50代半ばまで主に国外で暮らしていた。高校時代、東京に2か月滞在したのが初めての海外生活だった。その後メキシコ、日本、韓国などに滞在しながらその国々の言語を身につけた。大学では日本文学を専攻し、大学卒業後には韓国で韓国語を勉強した。その後、アメリカで大学院に通いながら応用言語学を研究し、ラテン語と北米先住民の言語を身につけた。

大学院修士課程修了後再び韓国を訪れ、高麗大学英語教育科で英語を教えながらドイツ語の勉強を始め、『孟子』を読んで漢文を身につけた。そのかたわら、時調を読んだり、中世の韓国語を学んだりした。博士課程はアイルランドで修了したが、そこではフランス語を勉強したし、ドイツでドイツ語を学んだのもその頃だ。

アジアへ戻ったのは1995年。日本の京都、鹿児島、熊本などの大学で教授として英語と韓国語を教え、2008年にソウル大学国語教育科教授に任命されて以降はずっと韓国で暮らした。この時期には高校の時に学んだスペイン語をはじめ、ポルトガル語、中国語、モンゴル語などに夢中になった。2014年、教授職を辞してアメリカに帰ってからは、しばらくエスペラント語の勉強に没頭した。最近はこれまでまったく接することのなかったイタリア語を身につけることに邁進しており、高校時代に学んだスペイン語を学びなおしている。この他にもいくつかの外国語とご縁があったが、主立ったものを挙げてみるとざっとこんなところだ。

思い返せば外国語を巡礼しながら生きてきたようなものだ。10代後半から興味を持って学び始めた外国語は、僕にとって生涯の友であり、より広い世界を見せてくれる窓のような存在なのだ。

初めての外国語、スペイン語と日本語

日本語を学び始めたのは、父親の影響だった。父親は第２次世界大戦後の1946年から1948年まで、京都に滞在しながら米軍用の建物や施設の設計にたずさわった。毎週末、住まいのある平安神宮の近くはもちろん、清水寺、銀閣寺などを訪れ、行った先々で描いた簡単なスケッチを手紙に添えて送ってきたりもした。

そんな父から京都について、日本について、アジアについての

1946年頃　父が京都で撮ったモノクロ写真

1978年　東京滞在時に訪れた高校での授業

話をよく聞かされ、彼が若い頃に京都で撮りためたモノクロ写真や、当時の手紙を見て育った。僕にとって日本、そしてアジアは幻想的なイメージと共に心に刻み込まれ、いつかそこに行ってみたいという漠然とした夢をごく自然に抱いていた。

そしてついに、1978年、高校の夏休みに東京近郊の日本人家庭でホームステイをした。それは僕にとって非常に強烈な思い出を残す夏となった。アメリカ人ではあるが、僕が生まれ育った所は、ニューヨークのような大都市ではなかった。当時のミシガン州アナーバーは、数多くの地方都市の一つにすぎなかった。美味しいパン屋も、おしゃれなカフェ文化もなかった。それに比べて、東京はすでに世界的な大都市だった。東京で出会った人々はアメリカから来た僕を珍しそうに見つめたが、僕には東京の方がずっと珍しかった。若者たちの素敵なファッション、想像すらしたことのない不思議なグルメ、地下鉄に乗って味わった街の活気に満ちた雰囲気はゾクゾクするほど刺激的だった。

ホームステイを終えアナーバーに戻ってからも、東京への郷愁がずっと頭から離れなかった。そしてその思いが募るほどに、故郷のアナーバーは退屈極まりない田舎町に思えたものだった。大学進学後、僕の専攻はおのずと日本語科に決まった。1980年代初頭のことだった。

日本語が初めての外国語というわけではなかった。日本でのホームステイを終えて帰国した後、学校で学んだスペイン語こそ僕の初めての外国語だった。高校時代に会ったスペイン語の先生はメキシコ出身だった。親戚の叔母さんのように親しみやすく、性格も愉快で生徒たちの間でも人気があった。先生に気に入られたおかげなのか、僕はずっと良い成績で先生とも親しく過ごせた。

大学進学後、スペイン語と日本語を並行して勉強した。当時の講師はスペイン語に堪能なアメリカ人だったが、その先生の授業を受けながらも「僕だってあれぐらいはやればできる」という自信を持っていた。日本語を専攻に決めてからはスペイン語はどうにも疎かになってしまった。その時は、スペイン語を地道に勉強しなかったことをいずれ後悔することになるとは思いもしなかった。

アメリカの大学で日本語を専攻

当時、アメリカの大学で行われていた日本語教育は、会話や聴解よりも主に文法と読解が中心だった。最初の壁は漢字だった。最初の１年間で、日本の小学校で学ぶ1026字の漢字のうち800字を暗記しなければならなかった。授業についていけなくて途中でやめる友達も多かった。800字を暗記すればそれで終わりかというと、そうは問屋が卸さない。今度はさらに中学で学ぶ1100字のうちの1000字を覚えさせられた。しかし、このレベルに上がった友人の多くは、「とことんやってやる」という決意に燃えており、脱落者は比較的少なかった。

日本語を始めたばかりの頃は、試験結果が悪くて先生にずいぶん叱られたものだ。

「日本語は漢字力だよ」

叱られたときに先生に言われたこの言葉が今でも記憶に残っている。漢字を暗記するため、単語カードを数十、数百枚作り、持ち歩いては覚えた。単語カードを自分で作るのが暗記に非常に効果的だということを、そのとき経験した。以後、他の外国語を勉強するときも、僕はいつも自作の単語カードを積極的に活用している。

漢字をある程度覚えるとテキストを読むのが一段と楽になった。中級から上級に上がってからは、教科書のテキストから脱し、文学作品へとその対象を広げた。夏目漱石の『こころ』、芥川龍之介の『羅生門』、志賀直哉の『城の崎にて』、川端康成の『雪国』など、多くの名作を日本語で読んだ。漢字を習い身につけるのは本当に難しくて大変だったが、一冊一冊読むたびに語彙力が上がり同時に日本文化に対する理解が深まった。そして次第に日本人ほどではないが、日本語で書かれたテキストを読んでその根底に流れる彼らの情緒にも共感できるほどになった。

「国境の長いトンネルを抜けると雪国であった」

日本人なら誰もが知っている『雪国』の冒頭を読みながら、その文章に脈づくニュアンスを理解しているのを感じたとき、湧き上がった達成感を今でもはっきり覚えている。

韓国に出会い、韓国語を学ぶ

韓国と韓国語に初めて出会ったのは1982年だ。その頃、僕は大学で習った日本語を実際に使ってみたかったし、ひいては日本語がもっと上手になりたかった。高校時代、東京に滞在した頃は日本語をほとんど知らなかったが、今回は少しばかり違うだろうという期待もあった。1982年の夏休みを利用して東京に滞在した。初めて来たときよりずっと自信を持って東京をあちこち回れた。リアルな日本語の勉強のためには、現地で小説を読むのが役立つだろうと、1979年に文壇デビューした村上春樹が1980年に出版

1982年　再び訪れた東京の街角で

した『1973年のピンボール』を読んだ。知らない漢字が多くて苦労したが、読み終わった後は話題の新人作家の本を読み切ったことに鼻を高くしたものだ。

韓国に出会ったのもその頃だった。日本から船に乗って釜山経由でソウルを訪れた。ソウルは、そして韓国は、東京と、そして日本とはずいぶん違う感じだった。短い滞在ではあったが活気に溢れた雰囲気がとても印象的だった。どこへ行っても独特なエネルギーが感じられた。お世辞にも裕福には見えず、軍事政権が厳格な政治的統制を行っていることは知っていたが、どこもかしこも強烈なエネルギーが発散されていることに驚いた。すでに経済強国として浮上した隣国の日本人がファッションと流行に夢中なのとは違い、厳しい政治、経済的状況の中でも力一杯に生きる人々の姿が魅力的だった。一体このエネルギーはどこから来るんだろう？　このエネルギーは韓国の未来にどんな影響を及ぼすのだろう？　韓国はこれからどのように変化するだろう？　など気になることが次々と出てきた。

すれ違うようなつかの間の出会いではあったが、韓国に対する好奇心はアメリカに帰った後もますます大きくなった。今は考え方がいくらか変わったが、当時は、ある国や文化について理解するにはその国の言語を学ぶことが第一歩という認識が強かった。韓国に対する好奇心は自然と韓国語学習につながった。アメリカで少しずつ韓国語の勉強を始めたが、それでは満足できず、1983年にはソウルに留学した。ソウル大学語学研究所（現在の言語教育院）に入学、本格的に韓国語を学んだ。

日本語学習の始めがひらがななら、韓国語はハングルの子音と母音からだった。いきなり会話から入る会話中心のカリキュラムも多かったが、僕は英語とは異なるハングルの文字体系をまず学ぶ方を選んだ。

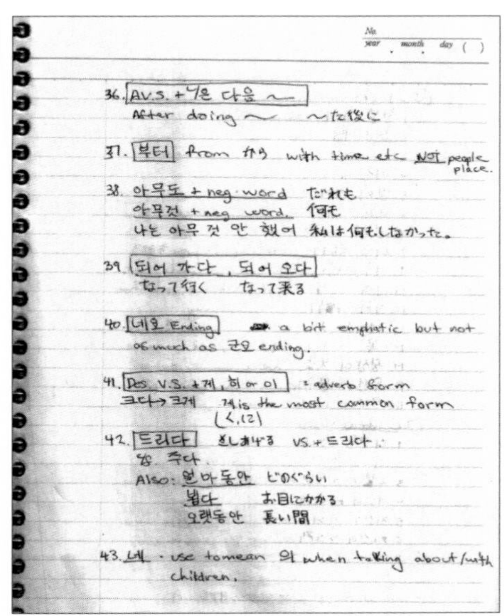

1983年　韓国語を勉強したときのノート

それまでアメリカで勉強した知識もいろいろ役立ったが、新たな言語を初めて学ぶときは常におっかなびっくりだ。韓国語を習いながら、日本語を初めて学んだときのことがよく思い出された。大学で学んだ日本語と語順が似ていて、同じ漢字を使う場合が多く、ずいぶん助かった。ハングルの子音と母音の数は、ひらがなの50音よりも少ないのが幸いだった。一つの文字が一つの音を表現するひらがなとは対照的に、比較的暗記しやすい。しかし難しいところも当然ある。例えば、「新羅（신라）」、「鍾路（종로）」といった単語の発音は文字とは異なる。このように、文字と発音が異なる場合は発音変化の規則を暗記しなければならない。決まったルールがなくても、環境によって発音が変わる場合も多い。つまり、ハングルの文字体系は比較的簡単に覚えられるが、微妙な発音の変化に慣れるためにはかなりの努力が必要だということだ。

韓国語を勉強しながら日本語の勉強も怠らなかった。日本語を忘れないためだが、二つの言語を互い違いに勉強する効果は期待以上だった。

一般的に外国語は「ひたすら練習あるのみ」という認識が広まってはいるものの、基本的には文法構造についての知識を持つ必要がある。その外国語の文法構造を知らなければ、文章を作ることができないのは当たり前だ。単語も知れば知るほど表現できる範囲がぐんぐん広がる。

韓国語と日本語を互い違いに勉強しながら、役に立ったのはまさにこの部分だ。両国の言語は語順と文法体系が似ている点が多いので、韓国語の学習において、日本語の学習経験にどれほど助けられたか分からない。それに漢字をはじめとする共通語彙がとても多いという点も本当に助かった。もちろん文法と単語の差がなくはないが、共通点が多い言語を学ぶということは、努力の省エネができるという点で非常に効率的だ。

独自に会得したファウザー式外国語学習法

外国語を習うときに一番よくやる方法は、その言語のテキストを読むことだ。日本語もそうだったし、韓国語も然りだった。しかし、当然最初から文学作品を読むことなどできなかった。教科書に載っているテキストを中心に勉強した。新しい語彙が絶え間なく出てきた。韓国語のテキストでは難易度が高くなるほど漢字語〔漢字由来の単語〕が出てくる頻度が上がった。漢字語は難しかったが、乗り越えるべきハードルのように思われた。もちろん漢字が分からなくても韓国で十分暮らせるし、韓国語でコミュニケーションもできる。でも日本語と同じようにきちんとした韓国語を駆使するためには、漢字学習はマストだと思った。

その後、米国に戻って修士課程を終え、1986年に韓国に再び戻った後、1993年まで韓国科学技術大学（現、韓国科学技術院）と高麗大学で学生たちに英語を教えながら、一方で韓国語の勉強にも専念した。

勉強法の一つは、暇があるたびに新しい本を手に入れて読むことだった。韓国語に慣れるのに、多読ほど良い方法はなかった。いつしか僕は高麗大学政治経済学科の裏門前にあった「東方書籍」の常連になっていた。1987年６月の民主化抗争以降、ソウルは表面的には「穏やかな春の日」のようだった。以前は見られなかった新しく興味深い本が、先を争うように出版され、僕は本屋に足繁く通っては新しい本を買ってくるという楽しみを満喫した。僕の英語のクラスの学生たちとお互いに本談義を交わし、勧め合ったりもした。教えつ学びつの仲だったが、年も近く、会話も頻繁にしているので、本に対する目線が似ていた。お気に入りの韓国の出版社もあった。そこの本ならひたすら乱読した。創作と批評社（現、チャンビ）、文学と知性社、ハンギル社、民音社などの出版社だ。

小説も一応読んだが、主に人文教養書を読み、そのかたわら詩

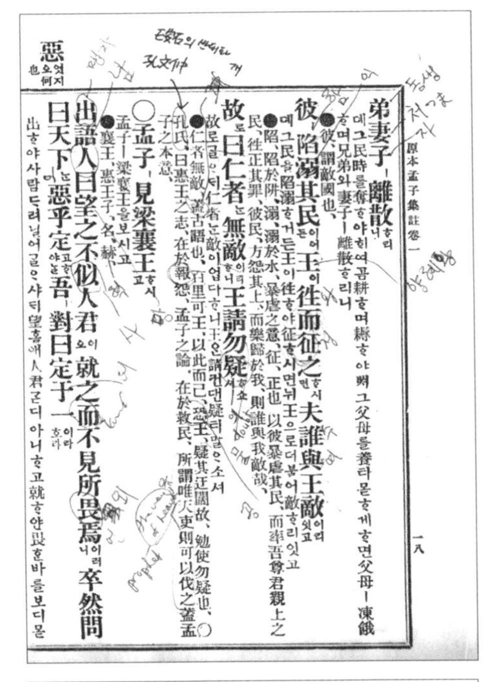
原本孟子集註卷一　一八

弟妻子ㅣ離散ᄒᆞ리니
데그民時를奪ᄒᆞ야ᄒᆡ여곰耕ᄒᆞ며耨ᄒᆞ야ᄡᅧ그父母를養티몯ᄒᆞ게ᄒᆞ면父母ㅣ凍餓ᄒᆞ며兄弟와妻子ㅣ離散ᄒᆞ리니
●彼、謂敵國也、
彼ㅣ陷溺其民이어든王이往而征之ᄒᆞ시면夫誰與王敵이리잇고
데그民을陷溺ᄒᆞ거든王이往ᄒᆞ야征ᄒᆞ시면뉘王으로더브러敵ᄒᆞ리잇고
●陷、陷於阱、溺、溺於水、暴虐之意、征、正也、以彼暴虐其民、而率吾尊君親上之民、往正其罪、彼民、方怨其上、而樂歸於我、則誰與我敵哉、
故로曰仁者는無敵이라ᄒᆞ니王은請컨댄勿疑ᄒᆞ쇼셔
故로ᄀᆞᆯ오ᄃᆡ仁者ᄂᆞᆫ敵이업다ᄒᆞ니王은請컨댄疑티마ᄅᆞ쇼서
●仁者無敵、蓋古語也、百里可王、以此而已、恐王、疑其迂闊故、勉使勿疑也、○孔氏曰惠王之志、在於報怨、孟子之論、在於救民、所謂唯天吏則可以伐之、蓋孟子之本意、
○孟子ㅣ見梁襄王ᄒᆞ시고
孟子ㅣ梁襄王을보시고
●襄王、惠王子、名赫、
出語人曰望之不似人君이오就之而不見所畏焉이러니卒然問曰天下는惡乎定고ᄒᆞ야늘吾ㅣ對曰定于一이라호라
出ᄒᆞ야사람ᄃᆞ려닐어ᄀᆞᆯ오ᄃᆡ望홈애人君ᄀᆞᆮ디아니ᄒᆞ고就ᄒᆞ야畏홀바를보디몯
惡 엇지오 何也

1992～1993年　韓国で『孟子』を勉強したときのノート

시조
9/1
孟思誠
<江湖四時歌>
江湖에 봄이 드니 미친 興이 절로 난다
濁醪溪邊에 錦鱗魚ㅣ 안주로다
이몸이 閒暇히옴도 亦君恩이샷다
杜甫「落日」
(막걸리를 마시며 노는 강 둘레)
(쏘가리→아름다운 물고기)

江湖에 녀름이 드니 草堂에 일이 없다
有信한 江波는 보내느니 바람이다
이몸이 서늘히옴도 亦君恩이샷다
(녀름 = 여름)
(신의가 있는) (보내는 것이)

江湖에 ᄀᆞ올이 드니 고기마다 술져 있다
小艇에 그물 시러 흘려 띄여 더뎌 두고
이몸이 消日히옴도 亦君恩이샷다
(ᄀᆞ올 = 가을) (살 쪄 있다)
(小艇 = 작은 배) (흘리게) (띄워)
(더뎌 두고 = 던져 두고) = 더디다
(샷다 - 시도다 [영탄어미])

江湖에 겨월이 드니 눈 기픠 자히 남다
삿갓 빗기 쓰고 누역으로 오슬 삼아
이몸이 칩지 아니히옴도 亦君恩이샷다
(겨월 = 겨울) (기픠 = 깊이)
(자히 남다 = 한 자가 더 되다)
(빗기 = 비스듬히) (쓰고 = 쓰고)
(누역 = 도롱이) (아니히옴도 = 아니하게 됨도)
[피동형 = passive]

1992～1993年　韓国で朝鮮時代の詩調を勉強したときのノート

集もずいぶん読んだ。あの頃は詩集がたくさん売られており、短くて朗読するにもよく、いつでも気楽に読めるのがよかった。難しい詩にチャレンジ精神を刺激されては、理解できるまで何度も何度も読み返した。

独学で韓国語を学ぶときと、大学で日本語を専攻したときとは

高校のスペイン語クラブの集合写真（卒業アルバムより。下から2列目左端が筆者）

1980年代　ホームステイで訪れたメキシコシティ市内の広場

感じが違った。最大の違いはというと、ズバリ試験がないことだった。おかげで点数にこだわらず、その都度読みたい本を思う存分読むことができた。分からない部分は飛ばしたりもした。つまり精読ではなく多読だった。今日、僕が韓国語で文章を書けるのは、当時本を選り好みせず多読したおかげではないかと思う。

高校時代、スペイン語を初めて学んだときはどうだったのだろうか。そのときは僕が自発的に勉強法を探して勉強するというより、教科課程についていく格好に自然となっていた。主に文法中心の授業で、教科書に出てくる短い対話を身につけながら動詞の活用を練習した。学習を進めながら、次第に長いテキストを読むようになり、同様に文章に出てくる動詞の変化を重点的に練習した。今になって考えると退屈極まりないが、スペイン語は英語と似ている部分が多く、韓国語や日本語に比べてテキストを読むステージに早く上がることができた。

このように高校時代に約２年間スペイン語を学び、奨学金をもらってメキシコでホームステイできる機会を得て、その期間に集中的に身につけて大学に進学した。進学後のスペイン語試験でも比較的良い成績を取れたため、すぐ文学作品を読む授業を受けることができた。そこでもやはり退屈な内容の授業だったので最初はとても難しかったが、一生懸命に勉強しているうちにいつの間にかガブリエル・ガルシア=マルケスのような有名作家の小説を読んでいた。そんな達成感に背中を押されて、授業とは無関係なパブロ・ネルーダの美しい詩にしばらくはまっていた。詩を声に出して読むことは発音練習にとても効果的だし、この方法は韓国語の学習でもずいぶん活用させてもらった。

02

人類の外国語学習は
どこから始まり、
どこへ向かうのか、
外国語学習はどのように進化したか

伝統的に外国語学習の中心にあったのは読解力だった。それはおもに上流層とエリートを対象に行われた。外国語が上手だということは読解力が優れていることを意味した。歴史は常に変化する。エリート、上流層以外のさまざまな階層で教育のニーズが生まれた。外国語学習も対象と目的が変化した。学校が登場し、より多くの人が外国語学習を経験した。そして外国語学習はすなわち話すことを意味するようになった。

上流階級とエリートたちの特権、外国語学習

外国語の学習を始めた1980年代からもっぱら読解に集中したと言ったが、これは何も僕のオリジナル学習法ではない。世界中の多くの人が外国語を学び出したときに試みる、ごくごくありふれた方法であると同時に、非常に歴史的で伝統的な学習法だ。

古くから外国語学習は読解が中心で、外国語が上手だということは読解力が優れているということを意味した。主に他言語で書かれた文献を読むために外国語学習が必要だったからである。人に会うときに必要な会話より、文献を読むことができる読解力の向上のほうが優先された。理由はシンプルだ。読むべき外国語文献は多く、実際に出会える外国人はあまりいなかったからだ。

外国語学習は主に上流階級とエリート層を中心に行われた。支配階層による文字の独占に関して話し出すと長くなるのでここでは割愛することにする。西洋人の場合、その対象は古典語のラテン語やギリシャ語。会話能力はほとんど必要とされず、テキストを正しく理解することが学習の主な目的で、授業内容は主に文法、テキストの朗読、そしてこれを正しく理解したか確認するための

オルヴィエート大聖堂のサン・ブリツィオ礼拝堂の壁画。ダンテがラテン語の文献を読んでいる。15世紀イタリアの画家シニョレッリの作品

母語への翻訳だった。したがって文法を学び文を読むことが何よりも重要だったのだ。エリート階層において、このような授業は効果的だった。こういった伝統は今日も残っている。ヨーロッパのほとんどの国で学生はラテン語を選択科目として学んでおり、特にイタリア、スペイン、ギリシャなどでは高校の必修科目として学習されている。

アジアでも事情は似たり寄ったりだった。もちろんその対象はお察しのとおり漢文であり、学習者は主にエリート層。中国を中心とした漢字文化圏の韓国、日本、そしてベトナムなどでは、漢文の中国古典を精読することで学力を身につけた。偉大な文献を読みながら漢字を学ぶことはもちろん、その内容を深く理解するのが学習目的だった。今日も漢文、漢字の影響力は依然として強力だ。韓国は事情が異なるが、中国の中学・高校生にとって漢文は必修科目で、日本の高校では国語の時間に漢文を学んでいる。

外国語学習の目的、読解から会話へ

歴史は常に変化している。外国語学習も時代につれその対象と

目的が変化した。時代が変わり、国家間の交流がさまざまな形でなされるようになり、外国との接点の様相が多様化する。エリート、上流層から離れた多様な階層からも外国語教育に対する需要が生まれ、学校という一般教育制度が登場し、より多くの人々が外国語学習を経験するようになった。

彼らにとって従来の読解中心の教育方式は退屈で役立たずであり、批判が日増しに激しくなった。それに加え、産業革命によってヨーロッパ大陸内での往来がより頻繁になるにつれ、自由なコミュニケーションのための会話学習の必要性が叫ばれた。そして19世紀末から、いわゆる「教授法」の時代が開かれた。もはや個人が個人を教えるやり方では解決できなかった。教育界の関心事は、いかにより多くの学生を、より早く効果的に教えることができるかということだった。「外国語教育革新運動」時代の夜明けである。

外国語教育革新運動は19世紀、ヨーロッパと北米を中心に、既存の文法と翻訳中心の外国語教育に対する批判から始まった。従来の方式が教育の大衆化に貢献できないという理由からだった。そのような背景に端を発する外国語教育革新運動は、特定の団体が主導したというよりは、自発的に起きたと見る方が正しい。似たような考え方の人々が互いにつながり、力を得た。この運動の核心は、教育課程における外国語教育は話すことに重点を置かなければならず、そのために教育方式を変えなければならないということだった。

それまで学校教育の現場ではほとんど存在しなかった「会話教育」を時代は求めていた。すでに文法と読解中心の教育に対し興味を持たない学生が多かった。学んだ挨拶を今すぐ使えるような「会話」の授業はそのような学生たちの関心を引くのに十分で、ひいては、外国語教育の効用性を極大化するのに、会話教育はうってつけだった。こうした動きは、第１次世界大戦が起こったことで停滞したものの、「外国語教育はすなわち会話教育」という根本的な教育パラダイムを安着させたので、結果的には成功したと考えるべきだろう。

今の我々にとって「外国語が上手だ」ということは、大体において「流暢に話せる」という意味だが、その始まりはまさにこの頃からだった。もちろん、外国語学習で話すことが唯一の目的という意味ではない。しかし、かつて「外国語学習は読解が命」だった時代に比べると、近年「外国語学習は会話が命」が基本的な認識であるという点は、誰もが同意するだろう。このような認識の変化により、20世紀半ば以降、外国語学習に関するほとんどの教授法は、会話中心または会話教育を並行する方式になってきた。

教育現場に吹いてきた変化の風

理論と方法が最も効果的だと思われたものに、「オーディオリンガル・メソッド（Audio-lingual Method、聴覚口頭教授法）」がある。1940年代から1970年代まで流行したこの教授法は、発音と文法の繰り返し練習を強調した。しかしそこには外国語を学ぶ人の立場に対する考慮はほとんどなく、どうすれば興味を引き出せるかについての関心は皆無の教授法だった。学習者にとって、このような型にはまった練習過程など面白いはずもない。いわんや反復練習をや。外国語学習に役立つ科学的教授法として脚光こそ浴びたが、退屈した学習者らにそっぽを向かれ、1970年代以降はほとんど用いられなくなった。

新しい教授法を標榜し、さまざまな教授法が登場したことで、教育現場には変化の風が吹いてきたようだったが、根本的な変化は実際には起こらなかった。ほとんどすべての学習法や学習過程が、生徒ではなく学校の授業や教師を中心に設計されていた。児童・生徒ではなく教師中心の教室風景は、昔となんら変わらないものだった。与えられた授業環境で教師がいかにより効果的に、効率的に教えることができるかということが、その当時登場したほとんどの教授法の主な関心事だったといえる。これに対する理論と方法もあれこれ登場したが、大きな枠組みの中では五十歩百歩だった。

学習環境も変わっていなかった。19世紀、公教育の広まりと共に一般化したおなじみの教室風景を思い浮かべてみよう。教師が黒板の前に立ち、生徒たちは机に座っている。教師は生徒を見つめ、生徒は同じ方向に並んで座って教師を眺める。教室環境の良し悪しは一人の教師の前に座っている生徒の数によって左右される程度で、基本的なやり方はすべて同じだ。一つの教室の中に生徒が10人のときと60人のときでは学習結果に差があるかもしれない。しかし、「教師と生徒が一人対多数」という前提がある限り、希望する学習結果を得ることは至難の業だ。

しかも、会話中心の外国語教育はそのスタートからして上手くいかないことが目に見えていた。学生一人が話す機会が非常に少ないだけでなく、自発的に練習できる機会もまったくない教室で、学生は果たして期待どおりの学習効果を得られるだろうか？　先生のありがたいお言葉に多くの学生が耳を傾け、一糸乱れず練習する姿は見た目こそいかにも勉強しているように見えるかもしれないが、実際に学生たちの役に立つかどうかは疑わしい。

このような点を考慮して登場したのが「コミュニカティブ・アプローチ（Communicative Language Teaching、意思疎通中心教授法)」だ。これは、学習者中心であるという点を強調している。言い換えると、「これまで無視されてきた学習者の要求と考え方を重視し、それを軸にして教えるべし」ということだ。授業は学習者が興味を持ち、楽しく練習できる方向で行われた。学習者の学習モチベーションを高めることが何よりも重要になった。退屈な画一的反復の代わりに自律性を高めたため、退屈なオーディオリンガルに比べてだいぶ改善された教授法だった。おそらく外国語教育史上初の「遂行学習の一種」と言える。コミュニケーション中心の教授法が普及し、多くの学習者が外国語に対する関心を抱き、楽しく外国語を勉強するようになった。

しかし、それはすぐに限界を迎える。授業が続くにつれ、学習者の関心を維持させることより、「習得効果」に焦点が当てられるようになったのだ。さらに根本的な限界もあった。このコミュ

1943年　ニューヨークのある小学校の授業風景。アメリカ国会図書館所蔵

1968年　プエルトリコのスペイン語話者向け英語授業の風景

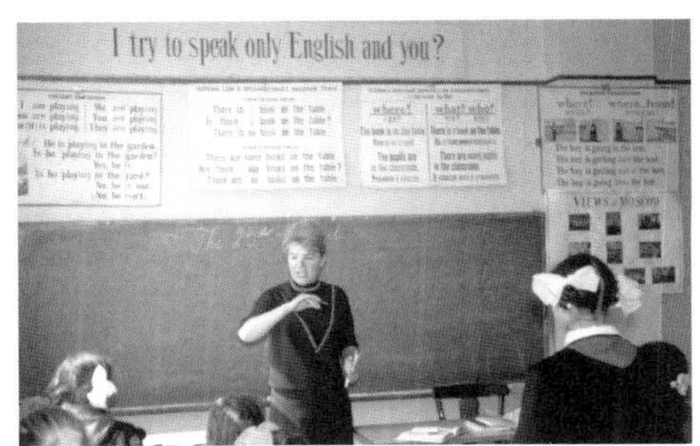

1964年　モスクワのある小学校の英語授業の風景

ジャン・マルク・コテと複数の画家が、19世紀末から20世紀初頭にかけて手掛けた連作〈En l'an 2000〉の絵葉書より。約100年後の未来、西暦2000年の世界を想像して描いている。「学校にて」と題するこの絵は今日の学校現場と比べて見ると興味深い。

ニケーション中心の教授法は、日常生活で希望の外国語に接することが困難な人々に効果的に教えようという意図から出発した。しかし、公教育の現場、いわば一般的な学校の教室で、そのように生徒たちを引っ張ることのできる教師を育成するには、現実的に困難が多かった。そもそもイギリスでネイティブ教師を前提に開発された教授法だったこともあり、教師がネイティブ、または少なくともネイティブスピーカーに近い言語を駆使できなければならなかった。そんな教師が一朝一夕に登場するはずがない。非英語圏の教育現場で、この意思疎通中心の教授法はまったく現実に合わず、むしろ教育現場で非ネイティブ教師の資質を疑わせ、その能力を過小評価するという悪影響を引き起こした。教室での教師による外国語学習に満足できなかった生徒たちは、それぞれ学びたい外国語を探し求めて海外研修に出かけたりもした。

技術の発展とともに進化する外国語学習

一方で、外国語学習を取り巻く技術も飛躍的に発展した。外国語を初めて学んだ頃を思い出してみよう。韓国人の話を聞くと、学生時代、教室で教科書を先に読む先生の発音もやはり、自分たちと比べてぱっとしなかったという。高齢の世代なら、テレビやラジオで英語放送を聞いたり、カセットテープの音声を一生懸命真似した記憶もあるだろう。

かなり昔から、外国語学習のためにまず正確な発音を教えようとする試みはすでに起こっていた。この世にレコードというものが初めて登場した頃、外国語学習のためにネイティブの発音を録音してレコードにし、普及しようとする試みがあった。しかし、音質がイマイチで、繰り返し同じ内容を聞くだけでは興味を引くことができず、広く普及するには限界があった。

1920年代、ラジオが本格的に普及し、ラジオを通じた外国語学習時代の幕が上がった。当時、日本ではラジオ英語番組が大きな人気を博した。その出発点はNHKのラジオ外国語教育番組だった。日本による植民地時代、韓国でもラジオ講義で英語を学ぶ人が多かった。

技術の進歩は続いた。1930年代に入りテープ録音技術が登場し、発展すると、これを活用した語学実習室が登場した。それぞれ頭にヘッドホンを付けてテープに録音したネイティブの発音を繰り返し聞いて真似をするのだ。最初はリールテープを使っていたが、カセットテープが普及するにつれ、次第にカセットテープに取って代わられた。

カセットテープの登場は、個人向け学習ツールの誕生をも意味

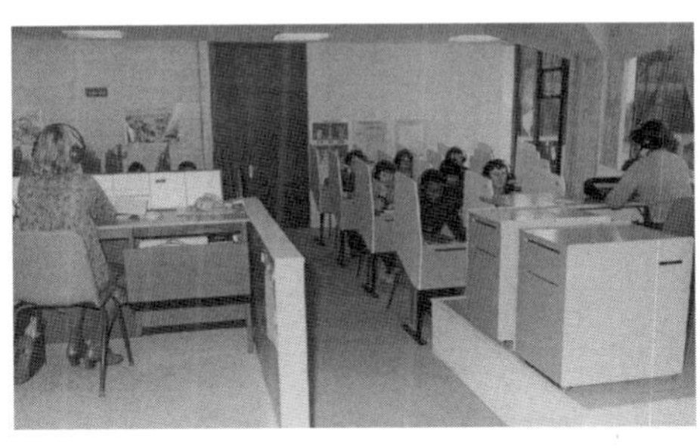

初期の語学実習室の風景

した。放送番組、学校などの教育機関の助けがなくても、いつでも好きなときにネイティブの発音を聞くことができるというのは、当時としては非常に画期的なことだった。製作コストが安くなり、カセットテープを含む個人向け教材市場はますます活性化した。

飛ぶ鳥を落とす勢いの人気のカセットテープ時代は、1980年代にビデオ技術が普及して幕を閉じ、聞くだけでなく見ることも可能なビデオ教材の開発が活発になった。それ以前から世界的に先を争って普及してきたテレビは外国語学習のための必須ツールであり、これに合わせてさまざまな外国語学習放送番組が登場した。1950年代から1980年代まで、英国BBCが欧州の主要言語を扱う教育番組を放送したことも、そのような時代の変化を表わしている。

レコード、ラジオ、カセットテープ、テレビ、ビデオと続いてきた技術進歩の速度は、その後さらに加速した。アナログ時代に続くデジタル時代の始まりだった。技術パラダイムが完全に変わったのだ。CDの登場に世の中があっと驚いたのもつかの間、インターネットの登場でクリックさえすれば、必要な情報にいつでもどこでも簡単にアクセスできる世の中になった。

デジタル革命は、外国語教育の姿を何度も変えた。最初は以前と同じ形の授業進行を維持しながら、アナログ教材をデジタル化するのがせいぜいだった。新しい技術に対する理解も不十分で、依然として伝統的で保守的な授業形態をベストと考える向きも多かった。そのため、しばらくの間、教師と生徒が教室で顔を合わせて授業をする、対面授業が一般的だった。

インターネットの発達で、教材のデジタル化だけでなく、授業のやり方も変わった。教師と生徒が同じ空間にいなくても授業は可能だと主張する人々が現れ、対面授業を代替しようとするさまざまな試みが行われた。いわゆる「オンライン授業」の登場だ。しかし、このような授業方式は、新しい技術を無分別に受け入れた、あるいは技術の発展によってすべてが可能だと考える性急な理想主義が作り出したものだとして、片付けられたりもした。

変化はそんな事情とはお構いなしに続いた。対面授業とオンライン授業のいいとこ取りをした授業が登場したが、完全にオンラインだけで授業が行われる日も遠くないだろうという予測が出始めるようになった。さらに、これらの変化はすでにコンピューターとインターネット環境に順応した人類が、これを基盤に、これまで培ってきたさまざまな方式を通じて学習法のバランスを取っていく過程と見なされた。そして2020年、世界は「新型コロナウイルス」によるパンデミックに見舞われた。これにより、「遠い未来の話」と思われていた全面オンライン授業が学校の日常になった。すでに技術は我々より先に進んでいることを、人類が思い知った形だ。

読解から会話へと移り行く外国語学習、それなら発音は？

外国語学習の目的が読解から会話へと移り変わっていた頃、古くからの教育方式を変えることも、新しいことを教えることも容易ではなかった。発音を教えることは特に難しかった。言葉を教えるのに発音は欠かせないが、先例がなかった。教師の発音も正確ではなかった。生徒以前に教師のための訓練が急務だった。音声学に関する研究は19世紀半ばから活発になっていたが、教育的観点からの研究はまだまだ不足していた。教育する準備が整っていないのに、学びたい人々の関心は急激に高まっていた。

フランス上流階級出身の教育者、ポール・パシー（1859～1940）も、そんな中の一人だった。幼い頃、すでに英語、ドイツ語、イタリア語などを学んだ彼は、大学でサンスクリット語とラテン語を学んだ。それだけではなかった。卒業後も約10年にわたり英語とドイツ語に磨きをかけた。そんな彼だったが、自分が受けた教育方式に不満を持ち、音声学を独学すると同時に、家で個人レッスンを通じて生徒たちにフランス語の発音を教え始めた。その後、母校の高等研究実習院（EPHE）の初めての音声学教授に就任した。

パシーは、外国語の発音をより分かりやすく教えるため、1886

	Laryngales	Gutturales	Pharyngales	Vélaires	Palatales	LINGUALES Prépalat.	Alvéol.	Postdent.	Dentales.	LABIALES Dentilab.	Bilab.
EXPLOSIVES	'	ʞ, ⅁	ĸ, G	k, g	c, ɟ		t,	d			p, b
NASALES				ŋ‘, ŋ	ɴ‘, ɴ		n‘,	n			m‘, m
LATÉRALES				ʟ‘, ʟ	ʎ‘, ʎ		l‘,	l			
ROULÉES				ʀ‘, ʀ			r‘,	r			ṙ‘. ṙ
FRICATIVES	h	ʁ‘, ʁ; ʜ, ʜ́	ẋ, ǫ	x, q	ç, j	ʃ, ʒ	ɹ‘, ɹ	s, z	θ, ð	f, v	ꜰ, ᴜ

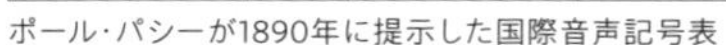

ポール・パシーが1890年に提示した国際音声記号表

ポール・パシー

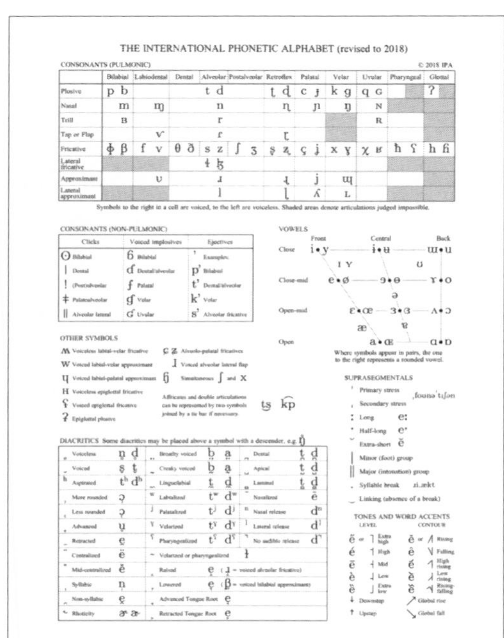

THE INTERNATIONAL PHONETIC ALPHABET (revised to 2018)

CONSONANTS (PULMONIC) © 2018 IPA

	Bilabial	Labiodental	Dental	Alveolar	Postalveolar	Retroflex	Palatal	Velar	Uvular	Pharyngeal	Glottal
Plosive	p b			t d		ʈ ɖ	c ɟ	k ɡ	q ɢ		ʔ
Nasal	m	ɱ		n		ɳ	ɲ	ŋ	ɴ		
Trill	ʙ			r					ʀ		
Tap or Flap		ⱱ		ɾ		ɽ					
Fricative	ɸ β	f v	θ ð	s z	ʃ ʒ	ʂ ʐ	ç ʝ	x ɣ	χ ʁ	ħ ʕ	h ɦ
Lateral fricative				ɬ ɮ							
Approximant		ʋ		ɹ		ɻ	j	ɰ			
Lateral approximant				l		ɭ	ʎ	ʟ			

Symbols to the right in a cell are voiced, to the left are voiceless. Shaded areas denote articulations judged impossible.

CONSONANTS (NON-PULMONIC)

Clicks	Voiced implosives	Ejectives
ʘ Bilabial	ɓ Bilabial	ʼ Examples:
ǀ Dental	ɗ Dental/alveolar	pʼ Bilabial
ǃ (Post)alveolar	ʄ Palatal	tʼ Dental/alveolar
ǂ Palatoalveolar	ɠ Velar	kʼ Velar
ǁ Alveolar lateral	ʛ Uvular	sʼ Alveolar fricative

VOWELS

Front Central Back

Close i•y ɨ•ʉ ɯ•u

ɪ ʏ ʊ

Close-mid e•ø ɘ•ɵ ɤ•o

ə

Open-mid ɛ•œ ɜ•ɞ ʌ•ɔ

æ ɐ

Open a•ɶ ɑ•ɒ

Where symbols appear in pairs, the one to the right represents a rounded vowel.

OTHER SYMBOLS

SUPRASEGMENTALS

DIACRITICS

TONES AND WORD ACCENTS

2018年改訂版の国際音声記号表

年にパリで外国語を教える数人の教師仲間とともに発音文字開発のための会を作った。そうして始まった会の活動はやがて活発になり、英文法を研究するデンマーク出身のオットー・イェスペルセン(1860〜1943)をはじめとする多くの国の言語学者が参加するようになった。この集いは1897年に「国際音声学会」(International Phonetic Association)と名づけられ、今日も活動中だ。

ヘンリー・スウィート

彼らは、活動初期からすべての言語の発音を表記できる音声記号の開発と管理に大きな関心を持っていた。1888年にはイギリスのヘンリー・スウィート(1845〜1912)が開発した音声記号を借りて国際音声記号(International Phonetic Alphabet　略称IPA)の草案を完成させたが、この記号表の最も重要な原則は、どんな言語でも、「一つの音は一つの文字で表記する」というものだった。これにより、個々の言語間の壁を超える標準体系を確立することができた。当時、欧州言語の発音にのみ集中していたこの文字表は、1890年代に入ってからは、アラビア語をはじめとする欧州以外の多様な言語までを対象とするようになり、その後この国際音声記号は、言語学者はもちろん多くの外国語学習者の重要な道しるべとなった。それだけでなく、さまざまな言語の発音研究が持続的に活発に行われ、新しい発音を反映した改正が頻繁に行われた。

第２次世界大戦後、研究対象の言語のさらなる多様化と共に1989年に大幅な改正がなされ、現在の記号表は2018年の改訂版だ。1990年代から加速化したデジタル革命を反映し、記号のためのフォント、ユニコード文字セット、そしてオンライン変換機能〔テキストを発音記号に変換する機能〕などが追加開発された。

国際音声記号に対する関心は依然として高い。なぜか。言語学者はもちろん、外国語を教え学ぶ人にとても便利だからだ。外国語学習者のためのほとんどすべての辞書では国際音声記号を使用している。英語のように綴りと音の間にギャップのある言語を学ぶとき、国際音声記号の助けを借りれば、発音を効果的に教えることができる。また、新しい外国語を学ぶ際、発音体系を理解するのにも非常に有用だ。

僕個人も昔から今日までずっとお世話になっている。最近習い始めたイタリア語でよく出てくる「ch」の綴りの発音が英語やスペイン語のような［tʃ］ではなく［k］だというのを、国際音声記号のおかげで簡単に理解することができた。また、韓国語を初めて勉強したときも国際音声記号は大活躍した。僕のような英語の母語話者に、特に韓国語の語頭に現れる「ㄱ」「ㄷ」「ㅂ」「ㅈ」などの字の発音は「ㅋ」「ㅌ」「ㅍ」「ㅊ」と紛らわしい。韓国語の語頭の「ㄱ」の発音は英語の［k］と［g］の中間にある。ところが、国際音声記号で「ㄱ」は［k］と書く。例えば、韓国語の「거리（距離）」の発音は［kʌri］と書くように。結果的に、国際音声記号が韓国語と英語の違いを把握できていないということだ。しかし、このような点はむしろ韓国語と英語の発音の微妙な違いを表してくれるので、僕の場合には「ㄱ」「ㄷ」「ㅂ」「ㅈ」で始まる発音に特に注意を払い、今でも講演やインタビューのときに発音ミスをしないように気を配ることができている。

つまり、僕がスペイン語を経て日本語と韓国語を学んでいる間にさまざまな教授法が登場し、技術の進歩も急速に進んだということだ。振り返ってみると、あの頃、僕は時には新しい教授法と技術進歩の洗礼を受けたり、時には伝統的な学習法にこだわったりしつつ、自分なりの方法で外国語学習の道を歩んでいた。数多くのテキストを読みながら、不慣れな言語の底辺に流れる文化的ニュアンスを身につけ、話せる状況に自らを晒すべく行ってきた努力の数々が、ザ・ロバート・ファウザー流のやり方だった。人類が歩んできた外国語学習の過程に歴史があるように、僕も自分だけの外国語学習の歴史を築いてきたということだ。

03

初めて外国語を学んだ
その瞬間を覚えているか、
それは自ら望んだ
選択だったか

かつて、ほとんどの人々にとって外国語との初めての出会いは、自ら下した選択ではなかった。今はどうだろう。外国語を学ぼうとする人にはそれを選択した理由があるはずだ。自分が、自分たちがこの言語を選んだ理由は？　この選択を導いた社会的な背景は？一つの言語が自分にたどり着くまでのいきさつを知ることで、外国語学習のプロセスはより立体的に感じられるはずだ。

僕らが外国語を習い始めた理由

ここでちょっと、初めて外国語を学んだそれぞれの経験を思い出してみよう。どんな理由で、どうやって外国語を習い始めたのか。その最初の瞬間は、どのように起きたのか。実は答えはすでに分かっている。お決まりのあれだ。世代と国籍を問わずきっとこうだろう。

「なぜかって？　学校で習わされたからだよ！」

学校で外国語の授業を受けるか受けないか、生徒が自由に選択できる国は減る一方だ。20世紀末、いわゆる「グローバル化」が急速に進み、その数はさらに減った。すなわち、外国語教育はたいていの国で必修になって久しいという意味だ。伝統的に外国語教育にさして興味がなかった代表選手のような英語圏国家のアメリカでさえ、20世紀末から公教育課程に外国語を積極的に取り入れた。同じ頃、韓国を含む多くの国では、若い生徒たちに外国語を教え始めた。インド、インドネシア、ナイジェリアなど一国の中で複数の言語を話す国の小学生たちは学校で母語ではなく

「公用語」を学ぶと同時に外国語も必修で学ぶ。

結果的に、2021年時点全世界のほとんどの生徒が教育課程で母語ではない他の言語を学んでおり、21世紀末になるとおそらく一度も学校で外国語を勉強したことのない人はこの世の中にはほとんどいなくなるだろう。

それだけだろうか？　ご存知のとおりこれで終わりではない。学校を卒業した後も、就職して昇進するため外国語の実力を要求されたりする。誰かに頼まれなくても、社会生活をして1、2年経つにつれてさまざまな理由で外国語を勉強する必要が生じたりもする。そのような必要はだいたいどこから来るのだろう。そして、その対象となる外国語は主にどんな言語なのだろう。

僕らが「その」外国語を学ばなければならなかった理由

僕らが学んできた外国語はたいてい学校のカリキュラムにもとから含まれていた。もちろんさまざまな個人的理由で特定の外国語を選択して学ぶこともある。しかし、僕らの前にその外国語がやってくるのには理由があるものだ。歴史的に外国語、つまり言語は社会のさまざまな矛盾、権力構造と密接な関係にある。

19世紀から登場した「民族」という概念の定義には、言語が極めて重要な役割を果たした。同じ言語を使う人は同じ集団に属するべきとの認識、例えばドイツ語やイタリア語などを使う人は同じ国の一員になるべきとの認識が広がり、ドイツとイタリアの統一にまで影響を及ぼした。20世紀後半にはヨーロッパが支配していたアジアとアフリカの植民地が独立し、多くの国で言語と民族に関する論議が起こり、他の言語を使う他の民族との内部葛藤は戦争にまで発展した。

1990年代、ソ連崩壊後にヨーロッパと旧ソ連地域にわたって現れた民族主義の高まりにより、新たな国々が誕生した。それら

19世紀　アフリカ、マラウイの子どもたちが英語のアルファベットを学んでいる。世界キリスト教研究センター所蔵

20世紀　アフリカ、ガーナの子どもたちがフランス語を学んでいる

の国家は民族という概念に言語が及ぼす影響の大きさをよく知っており、速やかに自国語教育を始めた。そしてその一方で外国語教育も並行された。それまで旧共産圏のグローバル言語はロシア語だったが、英語に転換する国が自然に増えてきた。ロシア語から英語への変化は非常に象徴的な出来事だった。これにより、長きにわたって強大な影響力を発揮してきたロシア語、すなわち旧ソ連の言語に対する関心と認識が変わった。旧ソ連の言語に向けられる社会的認識はもちろん、個人の認識も変わり始め、そのような変化はそのまま学習者にも影響を及ぼした。

旧ソ連の大独裁者スターリンの出生地であるジョージアは、ソ連の崩壊により1991年に独立した。その後ジョージアは、ロシアを警戒するため意図的に欧州連合やアメリカとの親交を深め、ロシア語ではなく英語教育に集中した。その結果、今日のジョージアの中高年層は旧ソ連時代の影響を受けて育ち、ロシア語に慣れているのに対し、若い世代にとってはロシア語より英語のほうがはるかに馴染みがある。社会の変化が言語の学習環境に及ぼす影響を示す興味深い例だ。

言語と社会的環境の関係はまた、国家権力や経済的な影響力と切っても切れない関連性がある。世界の言語教育の現状を見ると、一目瞭然だ。一般人が学んでいたり、学ぼうとしている言語は主に強大国の言語だ。英語は19世紀の大英帝国と20世紀の覇権国家であるアメリカの力で国際共通語として登場して久しい。1990年代以降、インターネットが普及し「英語の力」はさらに強力になり、英語がすでに獲得した「グローバル言語」としての地位と威信はますます高まっている。

英語の覇権に対する中国とフランスの動き

このような現象に対する反感がなかったわけではない。例えば、もう一つの大国だったフランスは、自国語の地位を守るために、フランス語使用国家と地域連合フランコフォニー（La Francophonie）の連帯を強化したりフランス内での外来語使用を管理すべく努力している。

中国は、英語の影響を統制するよりも、中国語を世界に広く普及させる戦略を取っている。特に2000年代に入り、中国は世界に自国の文化的影響力を拡大しようとしたが、その一環として登場したのが「孔子学院〔中国政府が世界各国の大学等と提携して設立した教育機関〕」だ。2004年に設立が始まり、2020年時点で約160か国に545か所の孔子学院がある。

孔子学院とは別に、現地の学校を通じた中国語教育も積極的に支援している。非ネイティブ中国語学習者の中国語能力を評価する「中国語能力試験（HSK）」は、世界で約118か国、約875会場で実施されている。学習者の割合を見ると主にアジアに集中しているが、アジアを越えてさまざまな国でも受験者が増えている。2010年代後半、孔子学院は文化と言語交流の役割を果たすというよりは中国政府のプロパガンダの舞台になっているという批判を受け、北米や欧州地域において閉鎖に追い込まれたが、例えばアフリカでは南アフリカ共和国、ケニア、ウガンダ、ザンビアなどですでに正規の教育課程に導入されるほど幅広く普及した。

日々力を増す英語の覇権に対する中国語とフランス語の戦略には違いがある。孔子学院に象徴される中国語拡散戦略は中国という国家に主導されているのに対し、フランコフォニーの場合、もちろんその中心にはフランスの帝国主義があるものの、フランス語を使用する複数の国が一緒に乗り出すことで「特定の国の言語伝播」という限界を克服した。そのような面から見ると、自国の言語を拡散、普及しようとする中国の次の一手が注目される。

フランスと中国が自国の言語拡散のために努力する理由は、単に自分たちの言語を世界に広めたいからではない。自国言語の拡散を通じて自国の文化および国家の影響力を拡大し、さらに政治・経済・社会的にも優位な位置を確保するためという狙いのほうが大きい。言い換えれば、言語の拡散がすなわち自国の影響力を拡張するのに効果的だということをよく知っているという意味でもある。

言語政策をめぐるインドとルワンダの内情

権力と言語の相関関係を示すもう一つの事例を見てみよう。19世紀初めから1947年までイギリスの植民地支配を受けたインドは、社会全般に英語が深く根付いて久しいが、同時に一国でさまざまな言語を使うことでも有名だった。

そのため、いざ独立したものの、公用語の選定では困難を極めた。1950年に、英語から脱しインドで使われていた複数の言語

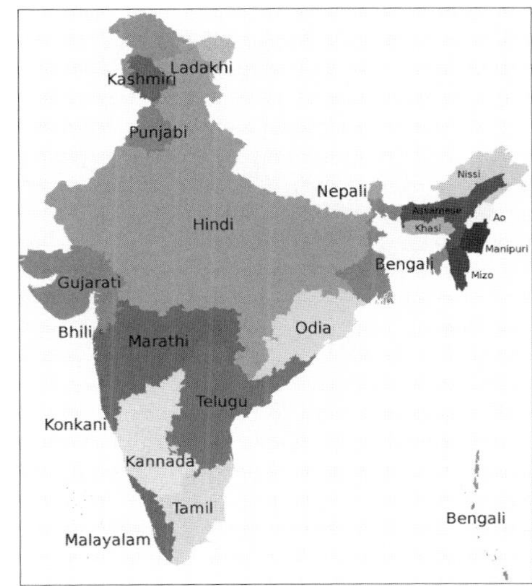

インドの公用語分布図

のなかで使用人口が最も多いヒンディー語を公用語に選択したが、ヒンディー語がほとんど使われない南部地域州での反発が激しく、1964年にはヒンディー語使用反対デモが広がった。その結果1965年には、ヒンディー語を全国の公用語とする代わりに英語を補助的公用語とすることを代案とした。これによりインドの各州ではヒンディー語と英語のほかに公用語を別途指定することができるようになった。それがインド全域に英語の拡散を促したのはお察しのとおりである。

2020年夏、インド政府が新しい教育課程を導入したことで、再び言語教育課程が論議を呼んだ。インド政府は、学校では３言語を教え、そのうち２言語はインド固有の言語でなければならないと発表した。ヒンディー語は必修にこそ指定されなかったが、固有言語二つを教えなければならないなら、ヒンディー語が採択される可能性が非常に高かった。今回も南部地域、特にタミル・ナードゥ州が強く反発した。この地域の多くの学校がヒンディー語とタミル語二つを並行して教えるのではないかという懸念のためだった。結局タミル・ナードゥ州では以前のようにタミル語と英語だけを教育すると宣言した。

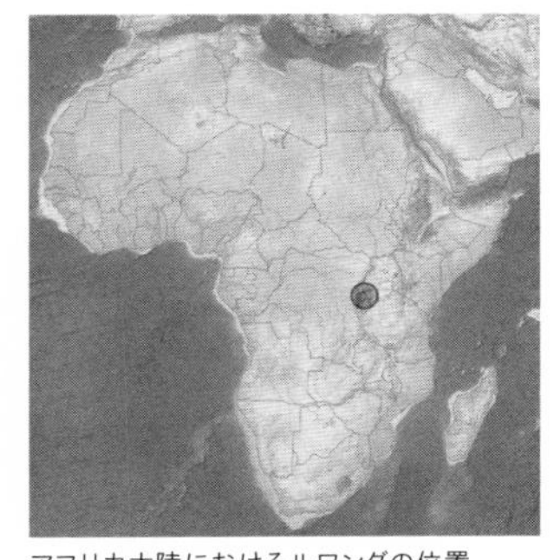
アフリカ大陸におけるルワンダの位置

ルワンダはコンゴ民主共和国と隣接する中央アフリカの小さな国家だ。1962年にベルギーから独立した後、激しい民族間の対立によって1990年代まで激しい内戦と虐殺を経験した。2000年代に入り徐々に安定を取り戻し危機から抜け出し始めたが、1990年代の暗い歴史はこの国の言語政策に大きな影響を及ぼしている。独立当時、ルワンダは使用人口の多いキニャルワンダ語を国語にしたが、約46年間ベルギーの支配を受けていたため、上流層の間ではフランス語が広く深く普及していた。

2008年に変化は起きた。1990年代に内戦で勝利した勢力は、長らく英語を使用してきたウガンダと密接であり、フランスとは対立が激しかった。彼らはフランス語より英語が堪能で、ひいては祖国ルワンダが英語圏の東アフリカの国々と協力することを望んだ。ただでさえ1990年代から世界的にグローバルな英語が国際交流のあらゆる分野での標準言語のように思われ始めたころだ。このように英語に対する内外の好意的な態度によって、ルワンダではそれまでキニャルワンダ語とフランス語で行われていた小学校の授業が、英語だけで進められる方針に変わった。

とはいっても、教室での英語の授業が一朝一夕に効果的に行われるはずもなかった。解決のために2009年に大規模な英語研修が実施されたが、それでもまともな授業が行われるまでには時間が必要だった。すると2011年から小学校１～３年生の授業はキニャルワンダ語で行い、４～６年生の授業は英語で行うという方向修正が行われ、フランス語は2008年には「外国語」科目に分類されるようになった。そして2019年、ルワンダ政府は再び小学校の全ての授業を英語で行うことを目標に、教育現場とコミュニケーションを取りながら、将来的に英語授業へと全面的に転換することを明らかにした。

インドとルワンダの言語政策は同じようで違う。植民支配からの独立後、公用語論争が起こり、その論争の核心が結局は言語覇権によるものであるという点は共通点といえる。しかし、インドは支配階級の言語だった英語から脱するために努力したが、ヒンディー語による覇権掌握の牽制により、むしろ英語を持続的に使用している。ルワンダは支配階級の言語だったフランス語から脱するために、固有の言語の代わりに隣国の支配階級の言語だった英語を選択することで、新しい言語覇権を確立している。

ある言語が僕の前にやってくるまで

民族と権力、政治的原因の他にも、外国語をめぐる社会的環境は非常に広範囲な周辺状況の影響を受ける。ある社会が外国語をどのように認識し、関心を持つかということも忘れてはいけない。学校で英語が主要科目となって久しい韓国では、今も昔も英語教育ブームだ。しかしかつては、学生たちに主導された1980年代の民主化運動によって噴出した反米感情の影響で「英語＝アメリカの言語」という認識が強まり、英語に対する反感が強い時代があった。もちろんその時代にも一生懸命英語を勉強する人はいたが、社会的環境の影響で英語を避ける学生もかなり多かった。21世紀以降、英語をグローバル言語として受け入れてはいるが、アメリカに対する批判と反感がさらに強まれば、英語に対する反感もいつ再燃しても不思議ではない。

ある社会の中でどんな外国語を使うかは、その言語使用者の教養と社会的地位を表す手段にもなる。1868年の明治維新以降、日本は西洋列強をこぞって模倣した。西洋の言語を学ぶことは上流階級が身につけるべき基本教養の一部になった。西洋の教育制度が定着し、入試のための外国語教育の割合も同時に拡大した。それとともに外国語学習に対する共感はますます拡散し、外国語を学ぶことは学校に通う人なら誰もが避けては通れない社会的環

日本で明治時代に使用された英語学習教材（表紙、本文）

明治時代に東京で出版された英語学習雑誌『流行英語尽し』の一部。アメリカ国会図書館所蔵

境の一つとなった。同時に西洋語ができるかどうかでその人の知的水準と教養の程度、社会的地位が判断されたりもした。

また、どのような外国語を学ぶかは、一見すると完全に個人の選択によるように見えるが、実情は国家または社会全般の雰囲気に左右されることもある。長年、英国に支配されていたアイルランドは、ヨーロッパの辺境だった。19世紀末から英語によって衰退し始めたアイルランド語を守るため、国語に指定し義務教育が始められた。その一方で、ヨーロッパとの連帯感を形成するために、フランス語とドイツ語の教育も重視した。1993年、EU（ヨーロッパ連合）の設立以後、加盟国同士の交流が多くなり、よりさまざまな外国語教育にも関心が傾けられた。このような歴史が積み重なるにつれ、いつしかアイルランド人は言葉を学ぶことをその国に近づく手段と同一視するようになり、ずいぶん前から外国語学習の社会的必要性を認識している。このような社会的環境の中であれば外国語学習の価値はより重要なものと考えられ、社会が醸し出すその空気感は個人の学習意欲を強くかき立てる。

僕らが学び始めようとする外国語がどのようなものであれ、選択した人にはなんらかの理由があるだろう。一度じっくり考えてみよう。自分は、自分たちはなぜ「その」言語を選んだのだろう。その理由を深く探っていくと、あなたを選択に導いた社会的背景が目に見えるだろう。そして一つの言語が自分の前に来るまでのいきさつが分かれば、外国語学習の過程がずっと厚みを持って感じられるようになるはずだ。

04

AI時代到来による
外国語学習のジレンマ、
そして今僕らの目の前にある
外国語学習の新たな目標

21世紀、韓国はかつてない「外国語ジレンマ」に直面した。外国語学習をめぐるさまざまな展望とニーズの前でも、結局、最終的な選択を下すのは個人だ。ひょっとすると外国語学習とは、多くの議論と選択の過程の果てにしか、到達できない道程なのかも知れない。しかし、一つ明らかなことは、どんな外国語であれ、そしてあなたが現在何歳であれ、始めたその日から一生の楽しみに出会えるという事実だ。

人類長年の夢の実現、技術が言語の壁を越える

人工知能（AI: Artificial Intelligence）により人類はこれまで経験したことのない新しい世界に生きている。AIの登場で僕らは日常生活全般において大きな変化を経験しており、それは外国語学習も例外ではない。AIのおかげでより簡単かつ正確に外国語を学習できるようになったことに異議を唱える人はいないだろう。

このような変化は未来に対する新たな展望をもたらす。つまり、AIの発達で今後は外国語を学ぶ必要がなくなるということだ。このような見通しが日常的に言われるようになって久しい。

「グローバル時代」に生き、なんとなく外国語の一つくらいはできなければいけない空気があるものの、簡単なことではない。やればやるほど挫折の経験と恥ずかしい記憶だけが重なっていく。そんななか日に日に発展していくAI技術の目覚しい進歩を見守ることは楽しくもある。これ以上苦労して外国語を勉強しなくてもいい世の中になるという期待にわくわくする。せっかく始めた勉強を投げ出す人もかなり前から出てきている。すでにAIを通じてある言語から別の言語へとテキスト翻訳が容易に行われてい

18世紀　アントン・ジョセフ・フォン・プレンナー作「バベルの塔」。メトロポリタン美術館所蔵

るし、このような傾向からみて近いうちにAIが外国人とのリアルタイムな対話まで通訳してくれる時代になるだろうというのに、わざわざ外国語を学ぶ必要なんてあるのかという主張には、かなり説得力がある。「世界中の人類を苦しめてきた外国語学習はAIの登場でもはや必要ない」という、いわゆる「外国語ジレンマ」だ。ついに人類はAIを通じて、『聖書』に登場するバベルの塔以前の世界に戻れるのかもしれない。

人間の技術で言語の壁を越える

技術で言語の壁を越えることは1950年代から人類の夢だった。当時はコンピューター技術の開発が及ばず実現できなかったが、人類は夢をあきらめたわけではなかった。その後半世紀以上の時間が流れた。やがて人類は2010年代前後からAI技術の発展により、古くからの夢をある程度実現できるようになった。特筆すべきは外国語テキストの翻訳機能だ。AIテキスト翻訳の機能が向上したことで、外国語テキストへのアクセス方式はすでにかなり変化している。オンライン上のテキストなら、多くの人は自然と翻訳機能を活用する。これによりまったく知らない外国語で書かれたテキストの意味を、学習しなくても簡単に理解することができるようになった。もちろん、言語によって翻訳の精度には依然として違いがある。語順と文法構造が類似しており、漢字をはじめとする共通語彙の多い韓国語と日本語のAIテキスト翻訳の精度は、今やほとんど支障なく読めるほど高い。言語的に近い英語とスペイン語、英語とフランス語、英語とポルトガル語、英語とオランダ語のAIによるテキスト翻訳も韓国語と日本語のように概ね正確だ。

AIテキスト翻訳の精度が必ずしも言語同士の類似性と関係があるわけではない。言語的関係が少ない英語と中国語の場合も精度は比較的高い。これは言語同士の相互類似性だけではなく、翻訳機能の使用頻度が正確度に影響する例である。言い換えれば、英語と中国語のAIテキスト翻訳ユーザーの多さから、アルゴリズムが活用できるデータが増え、蓄積されたデータの量だけ精度が上がる。つまり、ユーザー数とデータ量が正確度に影響を及ぼすというわけだ。

このように精度の差こそあれ、すでに今日ではクリック一つで外国語テキストの内容を簡単に把握することができるようになった。言語圏別に翻訳精度の偏りがあるものの、今後ますます良くなることは誰でも予想できる。多様な言語のテキストをより多くの言語に変換してアクセスできる時代はすぐそこまで来ている。

テキストだけではない。AIの発達によって会話の同時通訳も可能な時代が来るだろう。ソウルに住む韓国人がニューヨークに住むアメリカ人と電話する場面を思い浮かべてみよう。今は二人の言語が同じでなければ、円滑なコミュニケーションは不可能だ。しかし、韓国人が話す韓国語が相手に同時通訳されて英語で伝わったとしたらどうだろうか。ビデオ通話が可能な時代なので、相手の顔を見ながら、自分の言葉が相手の言語の字幕となって画面に流れるのを見ることも可能だろう。逆も同じだ。技術の進歩にはさまざまな障害物が登場するだろうが、人類の長年の夢であった言語の壁を越えること、それはもはや時間の問題に過ぎず、僕らが遠からずこのような世の中で暮らすことになることは明らかだ。そこで、僕らはまたお馴染みの質問に向き合うことになる。

AI時代に外国語学習って必要？
もちろん！　その理由は？

「AI時代、外国語学習は果たしてどんな意味があるのか」

この質問にどう答えればいいだろうか。僕の答えはこうだ。

「もっとずっと遠い未来は分からない。でも、少なくとも僕と読者のみなさんが生きていく21世紀までは外国語学習は変わらず必要だ」

理由は簡単。AIにもできないことがあるからだ。僕たちが言葉で伝えようとする「意思」は大きく二つに分けられる。一つは知識と情報であり、もう一つはコミュニケーションと共感だ。AIを通じて無感情な知識と情報を他の言語に変換する技術は、すでにかなりのレベルで具現化されており、今後ますます精巧になるだろう。でもここには重要な前提がある。前述したようにAIテキスト翻訳の精度は言語間の類似性だけでなく蓄積されたデータの量にも影響を受ける。使用者が多ければ多いほど、多くの人が求める言語ほど、正確度は高まるだろう。ローマ帝国時代、「すべての道はローマに通じる」という言葉があった。今日、全世界の各分野の共通語は、何といっても英語だ。AI外国語通訳・翻訳の世界でもほとんどの言語は結局英語で通じる。グローバル言語である英語の覇権により、各分野の最新情報を知るためには英語のテキストを読まなければならないが、英語への道が容易で便利に広がるというのだから両手を挙げて大歓迎だ。

ではマイナーな言語はどうだろうか。蓄積されたデータ量が少なければ、その翻訳の精度は果たして信頼できるだろうか。そのとき、どんな選択がなされるのだろうか。きらびやかなAIの世界で、僕たちは今よりもっと幅の狭い言語の世界に生きることになる可能性が高い。AIが選択した情報の外の世界には、アクセスすらできない世界が広がる可能性もあるということだ。

実際、このような未来を予想できる事例がある。移民の多いアメリカの公共機関では英語を母語としない人のためのさまざまなサービスを提供している。使用者が多いスペイン語の場合、あえてAIを使わなくてもいい。昔から正確な翻訳サービスを提供しているからだ。反面、使用者数の少ない言語の場合、最近になってAIを通じた情報提供サービスを試みている。しかし、その言語の使用者数が少ないほど蓄積されたデータ量も少なく、正確度が著しく下がる。

AIを通じて提供するサービスが一般的な記事程度ならば、正確度がちょっとぐらい低くても全体的な意味を把握することができるので使えるが、移民の立場で学校や病院などを含めた公共機関から間違った案内を受けたとしたら話は別だ。つまり、いくら些細な間違いだとしても、ややもすると大きな問題につながりかねないからだ。そのため、たとえAIを通じて大まかな情報を得たとしても、再度人が点検する過程が必要だ。すなわち、知識や情報の伝達において依然として解決されていない部分が存在していて、その解決が究極的には可能なのかという疑問が残る。

発展しつづけるAIが、果たしてこのような問題まで解決できるのか。マイナーな言語はAIの世界でどのような扱いを受けるのか。自分が使っているのがメジャー言語だからといって、AIがもたらすその世界を何も考えず拍手で歓迎していいのか。

このような面から、僕は外国語学習無用論については簡単には同意できない。そして、将来AIの世界で果たしてすべての言語が同じ扱いを受けることになるのか、ひいては最終的にすべての言語の世界で人の介入が必要ない段階にまで至ることができるのか、興味深く見守っている。

もう一つ注目すべき点は、まさにコミュニケーションと共感の面だ。AIの世界で、僕らは果たして人間の本能的欲求であるコミュニケーションと共感を他の言語圏のユーザーと自然に取り交わすことができるだろうか。言語に含まれる数多くの状況と感情の多様な振幅を、機械的なAIに正確に変換・伝達することが果たして僕らの世代が生きているうちに可能だろうか。どう考えても肯定的な答えは想像しにくい。

コミュニケーションと共感を、AIを通じて他の言語に変換することがなぜ難しいのか。そこには答えがないからだ。AIの進化はコンピューターのメモリー性能がアップグレードされて始まった。今後、メモリー性能の発展速度に比例して、その進化の速度と水準も急速に発展するだろう。

しかし、コミュニケーションと共感を前提とする対話は、多くの感情を伴う。同じ言葉でも、時と場合によって異なる意味を込めることは頻繁にある。僕らが家族や友人、職場の人と交わす多くの言葉を思い浮かべてみよう。同じ言葉の中に、異なる意味が込められていることがどんなに多いか。言葉以外にも表情やジェスチャー、または沈黙だけでもコミュニケーションが可能な反面、正確に翻訳された無数の言葉でもコミュニケーションが不可能な場合も多い。主観的に行われるコミュニケーションと共感は、型にはまった機械的な情報や客観的な知識のようなスタイルでは使い物にならない。それには共感という過程が必要だ。AIがいくら発達したとしても、果たしてこのようなきめ細かな感情の伝達、相手との交感まできちんと訳すことができるだろうか。僕らが生きるこの21世紀のうちに？

ニューヨークの自由の女神の台座に刻まれたエマ・ラザラスの詩「新しい巨像」の一部を、ドイツ語、フランス語、スペイン語、ポルトガル語、イタリア語、日本語、中国語、韓国語へそれぞれ自動翻訳したもの。翻訳精度の差はどこからくるのだろうか。

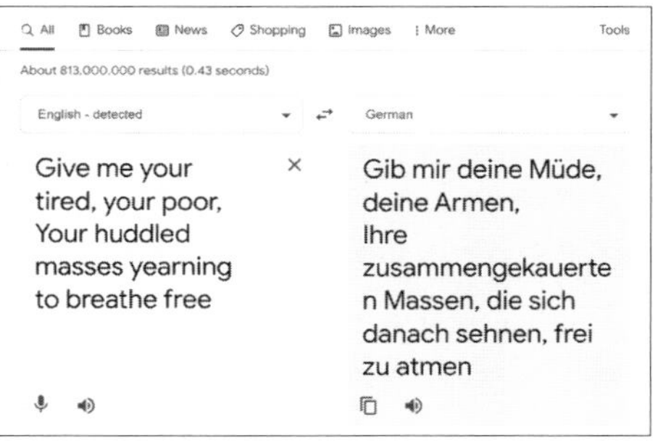

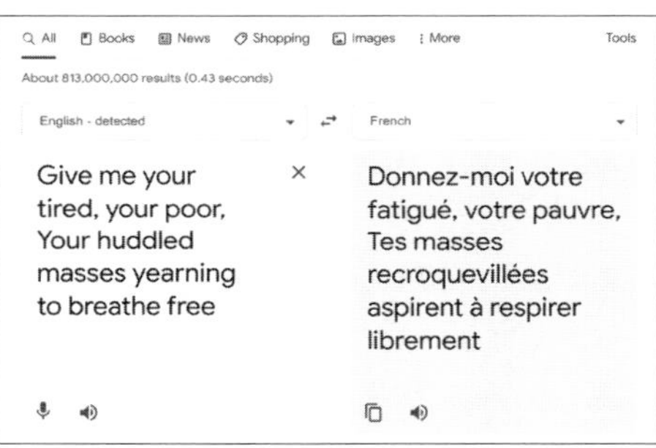

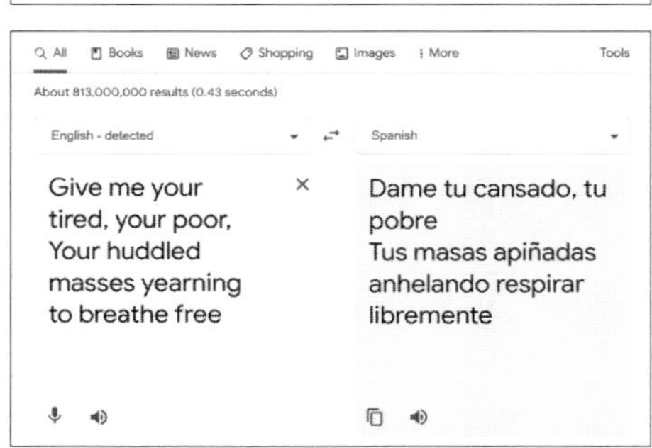

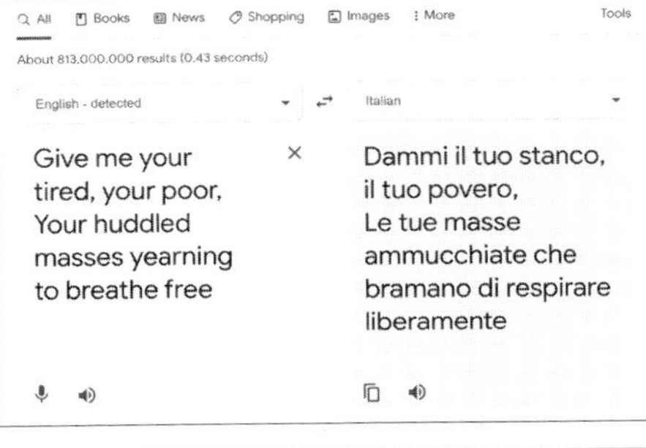
All
Books
News
Shopping
Images
More
Tools
About 813,000,000 results (0.43 seconds)
English - detected
Italian
Give me your tired, your poor, Your huddled masses yearning to breathe free
Dammi il tuo stanco, il tuo povero, Le tue masse ammucchiate che bramano di respirare liberamente

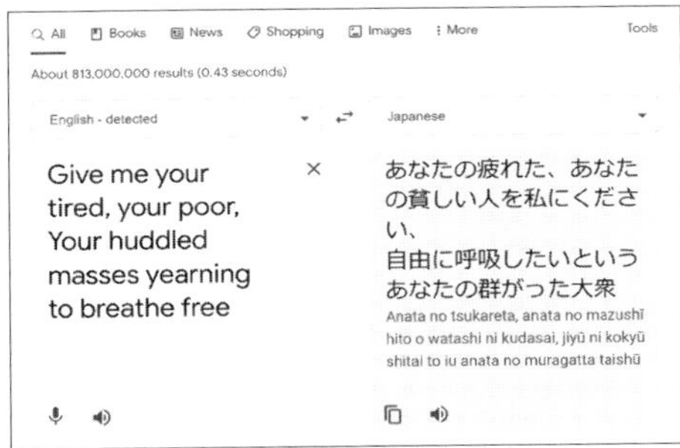
All
Books
News
Shopping
Images
More
Tools
About 813,000,000 results (0.43 seconds)
English - detected
Japanese
Give me your tired, your poor, Your huddled masses yearning to breathe free
あなたの疲れた、あなたの貧しい人を私にください、
自由に呼吸したいというあなたの群がった大衆
Anata no tsukareta, anata no mazushī hito o watashi ni kudasai, jiyū ni kokyū shitai to iu anata no muragatta taishū

All
Books
News
Shopping
Images
More
Tools
About 813,000,000 results (0.43 seconds)
English - detected
Chinese (Simplified)
Give me your tired, your poor, Your huddled masses yearning to breathe free
把你的累，你的穷，
你挤在一起渴望自由呼吸的群众
Bǎ nǐ de lèi, nǐ de qióng,
nǐ jǐ zài yīqǐ kěwàng zìyóu hūxī de qúnzhòng

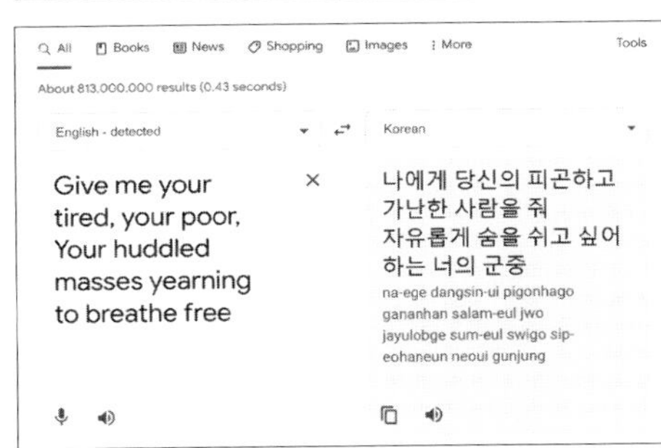
All
Books
News
Shopping
Images
More
Tools
About 813,000,000 results (0.43 seconds)
English - detected
Korean
Give me your tired, your poor, Your huddled masses yearning to breathe free
나에게 당신의 피곤하고
가난한 사람을 줘
자유롭게 숨을 쉬고 싶어
하는 너의 군중
na-ege dangsin-ui pigonhago gananhan salam-eul jwo jayulobge sum-eul swigo sip-eohaneun neoui gunjung

PSYの歌「江南(カンナム)スタイル」のお兄さんは oppaなのか、それともbig brotherなのか？

また、言語＝文化であることを考えると、言語の違いは文化の違いを意味することもある。人工知能の発達方向は言語の壁を越えることに集中しているが、それだけでは他言語圏の文化的文脈の特徴までクリアすることはできない。

1990年代、僕が日本の大学生に英語を教えていたときのことだった。教科書にこんな例文が出てきた。

“The party was fun because I could meet a lot of new people.”

パーティーで多くの知らない人に会えて楽しかった。

日本人学生らに「一体、これはどういう意味か」と質問された。僕はこの文章の意味を学生たちがなぜ聞くのか、初めは理解できなかった。アメリカ人である僕の考え方では、見知らぬ人が多いということは、これまで知らなかったいろんな人に会うことができるという意味でもあり、パーティーをもっと楽しむことができるという意味に思われる。何が問題なのかさっぱり腑に落ちなかった。しかし、日本人学生たちは、「知り合いがいなくて、気まずいように思われるが、なぜ楽しいと言うのか理解できない」と言った。

また、韓国語を習い始めてから数か月後のことだ。授業帰りのバスの中。乗客の一人が僕に声をかけてきた。

「어디 계세요?」

直訳：どこにいらっしゃいますか？

つい数日前に敬語を習ったばかりだったので、「いらっしゃる（계시다）」と「いる（있다）」と同じ意味であることは知っていた。

しかし、何だか変だった。僕はこうしてバスに乗っているのに、どこにいるのかと聞かれることが納得できなかった。かといって返事をしないわけにはいかなかったので、

「여기 있어요」
ここにいますよ。

するとバスの中の乗客たちは大爆笑、僕は大ショックだった。なぜ笑われているのか全然理解できなかった。僕に確かに‘Where are you?’という意味だと聞いて理解して、そのまま‘I am here’という意味で答えたのに、どこが間違っているのか一人モヤモヤしていた。すると、その乗客が再び尋ねた。

「아니, 어디 계시냐고요」
いや、どこにいらっしゃるんですか。

僕は同じ言葉を繰り返す彼が理解できず、頑固に同じ答えを出すよりも、あたりを見回して英語ができる乗客がいないか探した。今のように英語が上手な人に簡単に会える時代ではなかったが、幸運にも名乗り出てくれた人がいた。

“Your job. What's your job? He wants to know.”
彼はあなたの職業を聞いています。

ようやく僕はその意味を理解した。

「저는 학생입니다」
私は学生です。

聞いていた乗客数人が拍手を送ってくれた。僕が韓国語の表現

方法を把握できていなかったために起きたハプニングだ。このようなことは、韓国語に限った話ではない。

K-POPが英語圏で大人気を博し、今や韓国語のいくつかの表現はあえて英語に翻訳されず、韓国語のまま使われることが多くなった。PSYの「江南スタイル」の歌詞の一部である「オッパは江南スタイル」の「オッパ（오빠）」は、以前であれば「older brother」または「big brother」と訳されただろうが、それでは味気ない。なので、今ではたいてい「オッパ」を音の通りに「oppa」と書く。オッパだけではない。「형（ヒョン）〔男性から親しい年上の同性への呼称〕」「언니（オンニ）〔女性から親しい年上の同性への呼称〕」「누나（ヌナ）〔男性から親しい年上の女性への呼称〕」まで「hyung」「unnie」「noona」と書かれているのをよく見かける。こうした現象がさらに広がればいつか兄から姉まですべて、「キムチ」のように外来語として認められ、英語圏の語彙辞典に収録される日が来そうだ。

このように他の言語圏の語彙感覚を自国語に翻訳するのではなく、そのまま「輸入」することで、言語の表現に新鮮味が増し、その活用範囲がぐっと広がる。これこそ、20世紀から一歩進んだ、多様性と融合を追求する21世紀らしい発想ではないだろうか。K-POPファンの中にはすでに韓国語を本格的に勉強している人も多いが、このような単語の感覚を把握することが、韓国語のみならず韓国文化を理解する上でも役立つのは言うまでもない。しかしAIがこうした表現をどれほど「センス」良く判断し、反映できるかは大いに疑問だ。歌詞やその他のテキストの「オッパ（お兄さん）」を「oppa」とするか、「older brother」にするかということは、情報によって抽出されるデータの結果では決められない面がある。こちらの言語をあちらの言語に変えるということは、どれも微妙な感情に関する要因が絡んでいるからだ。すなわち、AIのテキスト翻訳を万能視することはできないという意味だ。

他の言語でも似たような例は多い。スペイン語には名詞と形容詞の後に指小辞（ししょうじ）（元の意味よりも小さい概念や親愛の意味を表

す接辞）をつける場合が多い。これは親近感や愛情を表すときに主に使われる。例えばおばあさんはスペイン語で「abuela」だ。これに「-ita」を付けると「abuelita」となる。同じおばあさんでも、ニュアンスは異なる。一般的なおばあさん、または他人のおばあさんと話すときには元の単語である「abuela」を使うが、自分のおばあちゃんには「abuelita」を使う。韓国語で親しさを表すときの「私たち＝ウリ（우리）」と似ている。韓国語を勉強したての頃、「ウリ」のお父さん、「ウリ」のお母さんという言葉を耳にして面食らったことが思い出される。「あなた」のお母さん、「あなた」のお父さんなのにどうして私も含めた「私たち」のお母さんやお父さんになれるのか。もちろん今では僕もその表現にもすっかり慣れっこだが。

スペイン語を学ぶときは指小辞を一生懸命覚えた。2018年、スペイン語がもっと上手くなりたくてマドリードにしばらく滞在した。近くのトレドにも２、３回訪れた。ある日、路地沿いを歩いているうちに、偶然ローマ時代の浴場の遺跡があるという教会を発見した。地下にある浴場の遺跡を見るためには、狭い階段に沿って下りなければならなかった。管理人にスペイン語で「下りてもいいですか？」と尋ねたら、こんな答えが返ってきた。

“Si, con cuidadito.”
はい、お気をつけて。

「cuidadito」は「cuidado」に指小辞の「ito」を付けたものだ。初めはなぜ親近感を示したのか奇妙な気がした。初対面の僕に？だが、言語はやはり暗記だけではだめだ。彼女が私に「cuidadito」と言うその優しい感じを聞いて、すぐに気をつけろという意味であることに気づいた。彼女も初対面の外国人であっても、堅い表現よりはと優しい表現を選んだのだろう。その日の短い会話で、私はスペイン語「指小辞」の文化的ニュアンスと使い方を一気に把握することができた。

これらの微妙なニュアンスが、果たしてAIに正しく伝えられるだろうか？　伝えている意味は同じでも、言語だけでは説明できない点がある。AIがいくら正確に一つの言語を他の言語に翻訳したとしても、その中に含まれている意味の違いまで伝えるには限界がある。新しい言語を学びながらその文化に対する理解の幅を広げるというプロセスがあってはじめて、その言語の本当の味をきちんと感じることができる。

外国語学習の新たなパラダイム

もちろん、そのような言語の味を誰もが知る必要はないという意見もあるかもしれない。しかし、言語は単に情報と知識を伝えるだけの道具ではない。１章で「僕にとって外国語は世の中を見る窓みたいなものだ」と言った。同じ窓の前に立っていても、窓から眺める風景は見る人によってバラバラだ。それに風景を通じて感じる感情も、やはり人によって千差万別だ。AIを通じて外国語の意味を表面的に理解することはできるようになるだろう。しかし、言語を通じて私たちが出会う新しい世の中の風景に「自分だけのスタイル」で接したいなら、AIに解決できないエリアは確かに存在する。AI時代に私たちが外国語を勉強しなければならない理由は、もしかしたらそこに見出せるのではないか。

過去から現在まで、外国語学習は主に目標を達成するための道具の一種だった。試験でいい成績を取るため、就職のため、昇進のため、業務の必要に応じて必ず獲得しなければならないツール、すなわち自分の能力と可能性を評価してもらうためのツール。外国語が上手な人は、能力はもちろん、その真面目さも認められるようになった。他の人から認められたいなら、外国語の実力はマスト事項だ。しかし、今はそのような認識は少し変わりつつある。もちろんそのような必要性が無くなったわけではないが、近いうちに、ただそんな理由で外国語を学ぶ時代は過ぎ去るだろう。

外国語はすでに必ずしも義務の対象ではなくなって久しい。成績や業務とは関係なく、新しい外国語を学ぶ人が多い。以前にはなかった新しい実用上のスキルも登場してきた。

最近目立つ例としては次のようなものがある。アメリカ人の多くは老後の年金額を調べ、より安い地域で少しでも余裕のある生活をしたいと思っている。そのため、住んでいたところを離れて引っ越したりもするが、かつては主にアメリカ国内から候補地を選んだりしていたのが、今では物価の安い「他の言語圏の国」を候補に入れたりもする。気に入った場所が決まれば、その国の言葉を前もって勉強する。誰かから良い評価を受けるためではなく、新しい居住地での楽しい生活のための準備だ。このように、以前には見られなかった外国語学習の目標が新しく登場したりもする。

外国語は楽しい遊びだ。趣味だ。知的刺激を与える媒介だ。見慣れぬ言語の体系を学んでいく過程そのものが喜びなのだ。

趣味から道具へ、道具からまた趣味へ！ 外国語を学ぶ理由の変遷史

外国語学習が趣味の対象となったのは、何も最近の現象ではない。19世紀末からすでにそうだった。外国語の古典文献の読解から会話へと、外国語学習の中身が根本的に変化すると、意外にも外国語を趣味として学ぼうとする人々が急増した。今すぐ必要なわけではないが、将来のため、あるいは好奇心から外国語を学ぼうとする人々が増えたのだ。このような流れに乗って、アリアンス・フランセーズ、ベルリッツなどの教育機関が登場した。同時に人工的な国際共通語であるエスペラントを勉強しようとする人も増加する。このような外国語学習のスタイルは主に対面授業と勉強会だった。同じ目標を持った人々が集まる所なので、趣味で外国語を勉強すると同時に社交の場にもなった。

このように、趣味と社交を目的とした外国語学習に関する関心は、20世紀半ばに入り、２度にわたる世界大戦のためにずいぶん低下した。終戦後にまたちょっと活発になったが、再び弱まった。外国語学習がもはや趣味の範疇にとどまらなくなったからだ。つまり、実用的な理由での外国語学習の必要性がいつにも増して高まったということだ。これは第２次世界大戦後、全世界を支配した英語覇権と深い関係がある。もはや多くの外国語を趣味で学ぶ代わりに、先を争って英語を学ばなければならなくなった。英語は目標達成のための唯一で強力な武器だったし、外国語を学ぶということは、すなわち英語学習を意味する世の中がやってきた。非英語圏国家では競って教育現場で英語が必修科目に指定された。韓国もそのような国の一つだが、韓国に限らずほかの国も含め、世界主要都市の街で出会う若者たちに話しかけると、ほとんどが僕に英語で答える。その国の言葉で質問しても英語で答える人が多い。彼らも当たり前のように学生時代から英語を学んでいるのだろう。卒業後も勉強を一生懸命続けた可能性が高い。彼らが学んだ英語が自発的選択による趣味の対象だった可能性はどれくらいだろうか。おそらくそれよりも教科課程の必須科目であり、目標達成のための道具であった可能性の方がはるかに高いだろう。

だが、世の中はまた変化した。21世紀に入ると、外国語学習を趣味と考える傾向が強くなってきた。もちろん、それ以前にもこうした傾向がまったくなかったわけではない。実際、韓国の中高年のなかには、金大中（キム デ ジュン）前大統領の日本文化開放方針の決定（1998年）前に、日本の漫画や映画などを楽しむために日本語を独学したという人が多い。彼らもやはり趣味として外国語を学習した例と言える。しかし、本格的な趣味の対象として外国語学習のブームを起こした事例は、もっとずっと最近のことだ。それこそが、アジアを中心に登場した韓流ブームだ。外国語学習を趣味の範疇に拡大させた流れの最先端には韓流がある。ほとんどすべての文化が英語圏、すなわちアメリカに端を発しグローバルに広がっていった世界で、いつしかさまざまな国のさまざまな文化がアメリカ、または英語というインフラ抜きで世界各地に広がっている。これを可能にしたのはインターネットの発達だ。英語の覇権は依然としてあるものの、英語だけがすべてだった世の中に、その他の言語が入り込み拡散している現象は、まったくもってあっぱれというほかない。

韓流の幕が切って落とされたのは、日本で大ブームとなったドラマ『冬のソナタ』からだ。実際、このドラマにはまった日本の中高年女性たちは、主演のペ・ヨンジュンとチェ・ジウを「ヨン様」「ジウ姫」と呼び、熱くて強力なファン層を形成し、ドラマの聖地巡りのために韓国を訪れることに飽き足りず、先を争うように韓国語を学び始めた。いわゆる日本人が趣味として学ぶ外国語の最前列に韓国語が位置したわけだ。

2000年代半ば、鹿児島大学で日本の学生たちに韓国語を教えていたときだった。最初の学期を終えた後、学生たちに韓国語の授業を申し込んだきっかけを聞いた。何人かが、「学校でハングルを学べば、ヨン様ファンの母親に教えてあげられると思って」と答えた。

だが、僕はそんなきっかけで外国語学習を始める人々の意志がどれほど続くか、当時は懐疑的だった。思ったとおり、ヨン様がきっかけの学生たちの多くの次学期の成績はパッとしないものだった。ハングルと簡単な挨拶言葉レベル止まりで、それ以上先に進むことはできなかった。

韓流ブームで争うようにハングルを学ぼうとした日本の女性ファンたちの中でも、韓国語を中級以上のレベルまで勉強したケースは極めて少なかった。先ほど述べた学生たち同様、大半がハングルを学び、簡単な挨拶を口にする程度に止まっている。雨後の筍のように全国的に乱立した韓国語教室のプログラムもその多くは入門レベルであり、中級または上級に至る人はごく一部だった。希望者がいたとしても、満足できる教育システムがほとんどなかったことも大きいだろう。そのときも僕は、この程度が実用的目標ではなく趣味として学ぶ外国語学習の限界だと思っていた。

韓流発の韓国大衆文化ブームは下火になったようだったが、いつしかK-POPという花火が上がった。ドラマよりはるかに爆発的で、日本とアジアを越えて全世界に広がった。単にスターを愛でるのではなく、オンラインやSNSを通じて情報を交換す

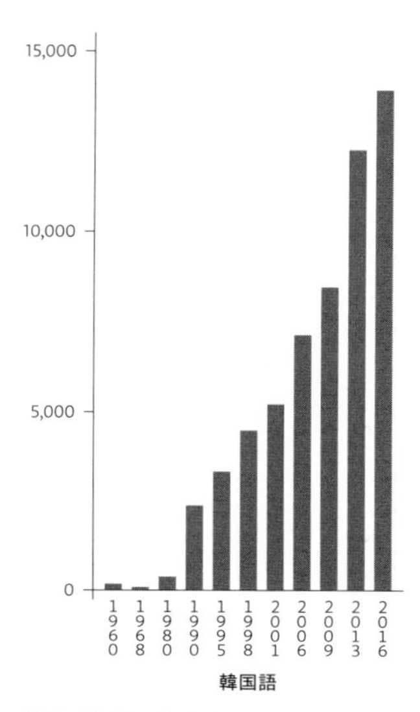

米国現代語学文学会発行の報告書より(2019年)。アメリカの高等教育機関における韓国語学習者の増加が見てとれる。

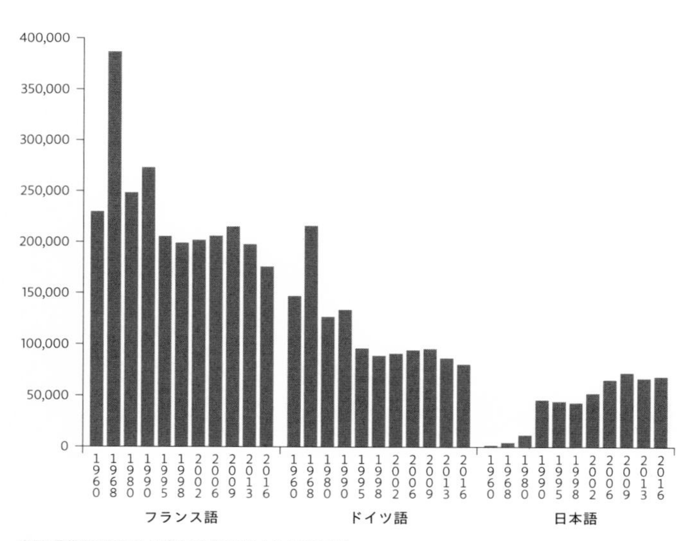

米国現代語学文学会発行の報告書より(2019年)。
アメリカの高等教育機関におけるフランス語、ドイツ語、日本語学習者の推移が見てとれる。

るファンが登場し、韓国語を学ぼうとする人々が世界的に急増した。韓国語授業に対するニーズは世界中で増えつづけている。

2019年に公表された米国現代語学文学協会（Modern Language Association of America）の2016年の調査によると、アメリカの高等教育機関で外国語授業を受講する学生のうち、韓国語の受講生が毎年大幅に増えていることが分かった。もちろんアメリカ人の伝統的な学習外国語であるスペイン語はもちろん、フランス語、ドイツ語、日本語に比べれば少ないものの、ここ数年で韓国語受講者が急増したのは注目に値する。

しかし、K-POPによる韓国語学習ブームを、この調査の結果だけで判断することはできない。外国人ファンの韓国語学習は、教育機関ではなく、ファン同士が互いに情報を共有するというスタイルでよりダイナミックに展開しているからだ。K-POPファンは歌詞を自国の言語に翻訳するため自主的にハングルを学び、単語や歌詞の表現をマスターしている。自国語に翻訳してSNSへアップしておけば、他のファンたちがそれで歌を理解するだけでなく、間違った部分を互いに指摘しあったり、他の歌手の歌を紹介したりもする。そのうち、だんだん韓国語に親近感が湧いてくる。彼らにとって韓国語学習は、頭の痛い勉強というよりも、ゲームを楽しむためのルールのようにあくまでも趣味の一環であり、自分が楽しもうとする趣味の世界により深く入り込むための強力なアイテムだ。

21世紀のK-POPファンは、SNSやインターネットを通じて、趣味としての外国語学習がどこまで可能かを示している。ヨン様ファンの日本の女性たち、それよりもっとさかのぼってベルリッツやアリアンス・フランセーズを通じてフランス語会話を学んだアメリカ人たちも、みんな同じ気持ちだったはずだ。しかし、趣味として外国語を学んだ以前の時代の人々が、国内外の環境のせいでほとんど初級レベルにとどまっていたとすれば、21世紀の趣味としての外国語学習は、新しい時代、新しい技術の発展に支えられて以前より遥かに高度なレベルに達している。このような変化の先端に韓流、そしてK-POPがあるということは興味深い。これはつまり、世界に韓国語がどこまでどのように伸びていくのかを見守ることとイコールだからだ。

もはや個人のものとなった外国語学習の主導権

このように、外国語学習は個人の趣味、教養、知的刺激のための手段など、目標を持った各自の自発的な動機により、以前よりもさまざまなスタイルで行われている。そのため、今後の外国語学習は教師中心、学校中心、カリキュラムの一方的な流れに従う形ではなく、個人のニーズやそれぞれの状況に合わせて進んでいくことは間違いない。そのような転換は確かに進んでいる。外国語学習の主導権がすでに個人に渡り始めており、近い将来完全に渡りきるのではないだろうか。

AIの登場と発達により、実用を目的とする外国語学習は近いうちに消えるだろうという見方が有力だ。にもかかわらず、外国語学習の必要性は消えないだろう。それは外国語学習の主導権が個人に渡ったからだ。つまり個人によって外国語学習に対するニーズがそれだけ多様になったのだ。

自分を証明するために誰かに外国語を学習させられる時代はすでに終わりつつあり、個人のニーズによって外国語を学習する時代の幕が開きすでに多くの月日が流れた。そして世界の人々は今日も外国語の勉強をしている。それも一生懸命に。

学ぶこと自体なかなか大変なうえに、AIの急速な発達により苦労して学ばなくても言語の壁を乗り越えられる世の中が開かれているこの時代に、彼らはなぜ外国語を学ぼうとするのか。AIによって変換されたデータとしての言語を使う方が便利な人もいるかもしれない。そのような便利さを追い求める人々のニーズに応えて、技術は目覚ましく速いスピードで発達するだろう。
21世紀を生きる私たちは新たに登場した「外国語ジレンマ」と向かい合っているわけだ。遠からずAIがすべてを解決しても、「外国語をなぜわざわざ学ばなければならないのか」と考える人から、学習過程の楽しさを満喫しながら数多くの外国語を勉強しつづける人まで、外国語学習をめぐる個人の立場は千差万別だ。個人ごとの学習内容と環境も、言葉で言い尽くせないほどに多様だ。
進歩したAI技術に加えて「人間的な対話」を望むなら、パターンどおりに自動的に作られた滑らかな翻訳文を超えて、行間に込められた文脈をきちんと読もうと思うなら、改めて外国語学習の扉を叩いてみることを勧めたい。
外国語学習をめぐる多くの展望とニーズの前で、選択はあくまでも個人に委ねられている。そう考えると、外国語学習とは何を学ぶのか、どこでどのように学ぶのか、誰がどのような動機と態度で学ぶのかという、数多くの議論と選択を経なければ、辿り着けない果てしない道のりのようだ。一つ明らかなことがある。どんな外国語であれ、この本の読者の年齢が何歳であれ、今から始めれば一生の楽しみに出会うことができるという事実だ。
外国語は学ぶことも多く、時間もかかる。それは否定できない。またその道は、まっすぐに伸びる直線ではない。山あり谷ありの、３歩進んで２歩下がる道のりだ。でも、黙々とやっていくと、節目節目にスペシャルな楽しみが待っている。この旅路の最良のパートナーは名教師でも、優れた教授法でもない。外国語の勉強そのものを楽しみ、大変でも進んでいきたいというそれぞれの気持ちと態度だ。そのうち自分だけの学習スタイルが見つかり、いつの間にか外国語の勉強に振り回されず、主体的にやっている自分を発見するだろう。そして、一生の友を得ることができるだろう。
この本は、外国語学習のスタートラインに立った読者たちを応援する気持ちで書き始めた。韓国には、「避けられない苦労なら楽しめ」という言葉がある。せっかく決心して始めた外国語学習の難しさに共に耐え、忍び、楽しく学んでいく方法を一緒に探してみよう。楽しみながら続けていく。この本の結論は、もしかしたらすでに出ているのかもしれない。

05

また外国語を学ぶんですか？
みんなも自分の
外国語学習歴を
振り返ってみよう！

まず最初にすべきことは「外国語についての振り返り」だ。「振り返り」といっても反省文を書くような気持ちになる必要はない。自分の外国語学習史を整理し直すのだ。履歴書のように、初めて外国語を学んだ瞬間から、いつまでどんなふうに、どこで勉強したのか、ゆっくり記録してみるということだ。この記録こそ、新たな外国語学習の出発点になる。

学生時代の外国語よ、今いずこ？

2001年の映画『チング　友へ』を見た。さまざまなシーンが記憶に残っているが、主人公たちの高校時代の英語の授業風景は特に印象的だった。こてこての釜山弁で短い英語のテキストを読んだ教師が、生徒にどういう意味か尋ねる。生徒は答える。

「わかりませんわぁ」

映画を見終わった後、ビールを一杯しつつ一緒に行った友達にその場面について聞くと、学生時代の英語の授業の雰囲気そっくりだと言われた。韓国の英語教育について話をするときに、映画のあの場面をよく思い出す。韓国で民主化が実現し経済的に発展するにつれ、外国語学習の必要性はさらに高まった。21世紀に入ってからは留学帰りや、短期語学研修帰りの学校教師が増えた。しかし、公教育の現場の授業方式に対する生徒と保護者の不満は今も変わらない。歳月こそ流れたが、学校の授業の基本方式は『チング』の時代とそれほど違わないように見える。

一つのクラスで30人の生徒が授業を受けていると考えてみよう。彼らにはみな自分なりの学習スタイルがある。

学習スタイルとは、外部から入ってくる新しい情報を自分の脳に受け入れたり、すでに形成した情報を必要に応じて活用するスタイルのことだ。すでに形成されている情報の量や、新しい情報を処理する方法によって学習スタイルは多種多様である。

しかし、彼らの机の前にはすべて同じ教材が置かれており、一人の教師の、同じ教授法の授業を聞く。いくら優秀な教師でも数十人の生徒たち全員に適した方法で教えるのは難しい。そのうえ、話す側は主に教師で、生徒の大半は一言も発することなく授業を終える。言語を学ぶ時間なのに、だ。教師の資質・能力や教材がいくら優れていても、こんなやり方ではすべての生徒がきちんと言語を学べるようには思えない。

世界中の人類が学校で外国語を学んでいるのに、実際に学んだ外国語を上手に話せる人はどれくらいいるのだろうか。胸を張ってイエスと言える人はどれくらいいるのだろうか。学校で習ったことはあっても、外国語が上手な人は意外と少ない。なので、公教育の現場で行われる英語教育の限界についてもよく知っている教育熱心な韓国の親や生徒、さらには教師までもが、正規の授業とは別に大金を払って、私教育システムを活用することを当然視している。皮肉なのは、そこまで一生懸命になって外国語を学ぼうと努力するものの、学校を卒業して社会に出て学習をストップすると同時に、学んだことをほとんど忘れてしまうという事実だ。

外国語についての振り返り、新たに外国語を学ぶ出発点

ここまで読んで、自分には関係ないと思う人がどれほどいるだろうか。おそらくほとんどの読者が、初めて外国語に触れた思春期の自分の姿を思い浮かべるだろう。楽しい記憶と挫折の記憶が同時多発的に浮かんでくるのではないか。では、成人になった今、私たちはどうすれば外国語を楽しく学んでいくことができるだろ

うか。

まず最初にすべきことは「外国語に関する振り返り」だ。振り返りだなんて、反省文でも書かされるのか、と思うなかれ。これまで外国語を勉強してきた自らの姿を思い出せばいい。例えば、自分だけの外国語学習経歴の整理だ。履歴書みたいに、外国語を初めて学び始めた瞬間から、いつまで、どんなふうに、どこで勉強したのかをじっくり記録する。この記録こそが、新たに外国語を学ぶ出発点となる。

ほとんどの人は、中学校に入学して初めての英語の授業時間がまず思い浮かぶだろう。高校に進学した後、第２外国語を勉強した経験があればそれを書けばいい。韓国で高校に通った大人ならみんな同じような経験があるはずだ。しかし、英語の勉強をした記憶ははっきりしていても、第２外国語を学んだ記憶は薄いという人が多い。大学に入ったり、社会人生活をしながら外国語教室や語学研修、旅行など外国語学習と関連した経験は残らず書いてみよう。幼い頃から比較的最近までの経験を整理したなら、とりあえず出だしは上々だ。

次は当時の心情を思い浮かべる番だ。中学校で初めて英語の授業を受けたときどんな気分だったか、だんだん英語に自信を失っていったのはいつの頃だったか、反対に一番興味を持ったのはいつだったかなど、思いつくままに記録してみよう。当時の思い出がこみあげてきて感傷的になったり、無味乾燥な記憶ばかり思い出されることもあるだろう。感情を並べ立てるのが嫌なら、「とても好きだった」から「とても嫌いだった」までレベル別に表示してみても良い。

さていよいよ仕上げだ。その心情の理由を自らに尋ねてみよう。「とても嫌だった」と書いたなら、その授業のどんな点がそんなに嫌だったのだろうか。先生が気に入らなかった？　授業内容について行けなかった？　逆に良かったのなら、どんな点が良かったのだろうか。新しいことを知る楽しさを感じて？　試験の成績

外国語振り返りシート	
言語名	
学習動機や理由	
学習目的	
学習目標	
対象外国語の学習経験（経験がある場合）	
使用可能なレベル	・読解： ・作文： ・会話： ・聴解：
学習経験 1	・いつ： ・どこで： ・どれくらい：
学習経験 2	・全体的な印象： ・学習を通じて得たこと： ・学習方法：
学習経験 3	・楽しかった記憶： ・挫折した記憶：
学習経験 4	・満足した記憶： ・後悔している記憶：
学習経験 5	・最も伸ばしたい部分：
その他	

が良かったから？　そうやって一つ一つ思い浮かべていくうちに、外国語を学んでいる間、自らにどんな長所や短所があったのか、外国語学習の良かった点と残念な点が何なのかについて、それぞれ気づくことができるはずだ。

伸ばすべき長所と見直すべき短所、ふさわしい態度、直したほうがいい習慣などと客観的に向き合うことができる。このとき、どこかで聞いた他人の言葉や、一般論的な考えを書かないことが何よりも大事だ。本当に自分の考えなのか、自分が感じた感情なのかを考えて率直に書いてほしい。

外国語学習に関する自分の経験を客観的に把握すること、「外国語の振り返り」は一見何気ないことのように見えるが、「昨日の自分」が経験した失敗と反省点を発見することで、試行錯誤を最小化することはもちろん、「今日の自分」にマッチする学習法を見つけるためのとても大切なプロセスだ。

外国語振り返りシートという名前をつけて、一般的な項目を載せた簡単な表を作ってみたが、別に決まった項目や基準があるわけではない。いくらでも自分なりにアレンジして活用すればいい。ここで大事なことは、いかに具体的かつ率直に、これまでの外国語学習の経験を振り返ってみるかということだ。さらに、その結果を通して今後の学習の方向性を定めることが、外国語に関する振り返りの本当の目的なのだ。

成人学習者のために開発された
ヨーロッパの言語ポートフォリオ

このように、自分の外国語学習史を文章で記録することは、ヨーロッパの外国語学習者の間でかなり前から推奨されてきた方法でもある。1990年代、欧州評議会（Council of Europe）は主に成人学習者を対象とした「ヨーロッパ言語ポートフォリオ（European Language Portfolio）」を開発した。1949年に設立された欧州評議会はロシア〔2022年3月脱退〕やトルコを含め、加盟国が50か国近くに達するが、ここで作られた「ヨーロッパ言語ポートフォリオ」は大きく「言語パスポート（language passport）」、「言語学習記録（language biography）」、「資料集（dossier）」の三つからなっている。

「外国語（foreign language）」ポートフォリオではなく、「言語（language）」ポートフォリオとされていることに注目してみよう。ヨーロッパの住民の中には二重言語話者が山ほどいる。「国語」と「地域語」が異なる場合も多く、移民も非常に多い。母語ではなくても、よく使っている言語を外国語と呼ぶのは難しい。フランス生まれで、フランス語で生活している韓国系2世にとって、フランス語はもはや外国語とは言えない。

ある人の言語履歴を把握するのに、母語と外国語を区別せずに使いこなすことができる言語や、学んだことのあるすべての言語を対象にする方が、はるかに正確な資料になることは明らかだ。また、地域語の話者や移民は、「国語」の持つ支配的なニュアンスにさまざまな感情を持つかもしれない。そして、学校で国語と

言語パスポート	・使用できる言語を全て書く ・言語学習歴と実力を自分で評価
言語バイオグラフィー	・言語学習の経験を詳しく書く ・これまでに学んだ言語の学習動機を詳しく書く ・これまでに学んだ言語の学習目標を詳しく書く ・新しく学びたい言語を書く ・学びたい動機を詳しく書く ・学びたい目標を詳しく書く
資料集	・言語関連で取得した資格証明書の有無記載及び添付 ・言語関連試験の点数証明書の有無記載及び添付

ヨーロッパ言語ポートフォリオの構成

LANGUAGE PASSPORT
PASSEPORT DE LANGUES

PORTFOLIO

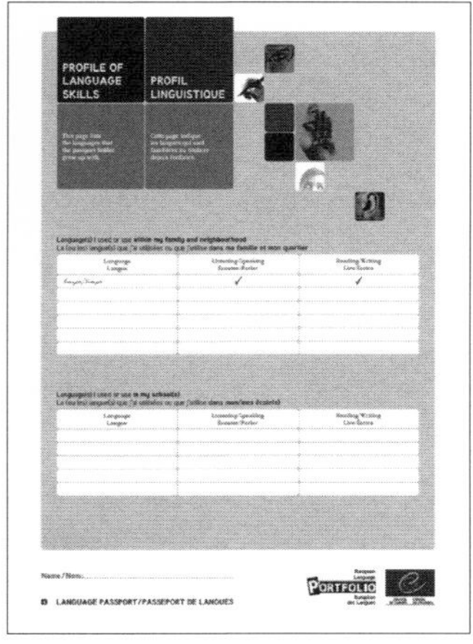

PROFILE OF LANGUAGE SKILLS
PROFIL LINGUISTIQUE

Language Langue	Listening/Speaking Écouter/Parler	Reading/Writing Lire/Écrire
	✓	✓

Language Langue	Listening/Speaking Écouter/Parler	Reading/Writing Lire/Écrire

Name / Nom:

LANGUAGE PASSPORT / PASSEPORT DE LANGUES

PORTFOLIO

USER'S PLURILINGUAL PROFILE
PRESENTATION OF THE LEARNER

European Language Portfolio Templates and Resources
: Language Biography

PORTFOLIO

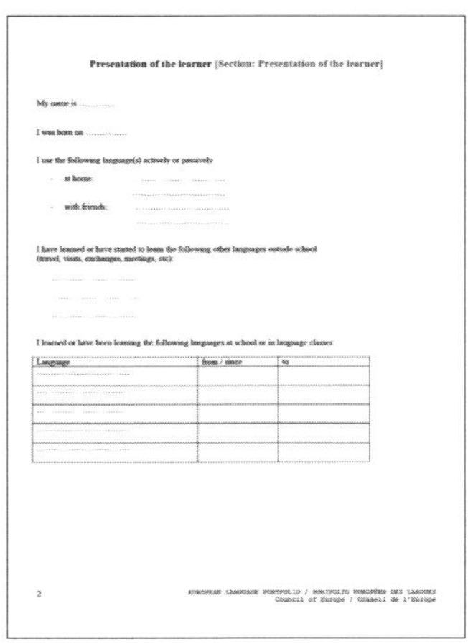

Presentation of the learner [Section: Presentation of the learner]

My name is ……………

I was born on ……/……

I use the following language(s) actively or passively

- at home: ……………………
- with friends: ……………………

I have learned or have started to learn the following other languages outside school (travel, visits, exchanges, meetings, etc):

……………………

I learned or have been learning the following languages at school or in language classes:

Language	from / since	to
……………………		
……………………		
……………………		
……………………		
……………………		

2 EUROPEAN LANGUAGE PORTFOLIO / PORTFOLIO EUROPÉEN DES LANGUES
Council of Europe / Conseil de l'Europe

ヨーロッパ言語ポートフォリオのうち、言語パスポートと言語バイオグラフィー（一部）

英語以外の外国語を学ぶ場合も多いが、ポートフォリオの対象を外国語に限定すると、どの言語に接してきたのかに関する全体的な履歴が見えてこない場合もある。このようにさまざまな事象に対する細心の注意を経て、ヨーロッパ「外国語」ポートフォリオではなくヨーロッパ「言語」ポートフォリオという名称が選ばれたわけだ。

EUはヨーロッパ統合のさらなる進展のため、さまざまな政策と制度を設けた。最も広く知られているのは1999年から使用された公用貨幣ユーロの導入だが、その他にも数多くの分野で統合のための一貫した政策が執行された。互いに異なる言語を使うという点も重要視された。このため、EU主導のさまざまな言語政策が登場した。

その代表格が、欧州評議会主導の「ヨーロッパ言語共通参照枠(Common European Framework of Reference for Languages　略称CEFR)」だ。「歴史的事件」とも言えるこの政策は、その後の成人外国語学習と外国語の実力維持のために大きな役割を果たす。米ソ冷戦終結後、ヨーロッパ統合を目指す流れの中で1990年代に開発されたが、一般の成人言語学習者向きの政策のうち、今日まで最も広範囲で重要なものとして挙げられる。

CEFRはヨーロッパ全域で同一の基準として活用されているが、その内容を簡単に説明すると次のようになる。自分が勉強した言語学習の成果を評価する基準は共通だ。したがって、同じ基準を適用する他の場所で新たに勉強を始めても、自分の実力を客観的に証明することができる。教える側も、他の場所で勉強した個人の言語能力がどの程度なのか簡単に把握できる。

また、授業の内容に同一基準を適用することで、どの国のどの地域においても教育内容を一定水準に維持できる。この政策は学生時代に学んだことのある言語を生涯学習のレベルで維持し、レベルアップすることを主眼としている。

言い換えれば、新しい言語を学習することと、すでに一度でも学んだ経験がある言語の実力維持を重視しているという点では、新たに学ぶ言語であれ、学習経験のある言語であれ同じだが、新しい言語よりはすでに学んだ言語の実力維持に重きを置いたわけだ。

このようなCEFRの付属政策の一つが、ヨーロッパ言語ポートフォリオだ。EUに暮らす成人のうち、多様な言語を使ったり学

ヨーロッパ言語共通基準の自己評価シート

A1　入門　Breakthrough

- 簡単な会話が理解できる。
- 自分や他の人を紹介することができる。
- 個人の情報について質問したり答えることができる。
- 相手がゆっくり、はっきりと話して、助けが得られるならば、簡単なやり取りをすることができる。

A2　初級　Waystage

- 自分に関係する事柄やそれに関する文章を理解することができる。
- 簡単な日常の事柄についてコミュニケーションすることができる。
- 簡単な言葉で自分の状況について説明することができる。

B1　中級　Threshold

- 一般的な状況の要点を理解することができる。
- 慣れ親しんだ個人的な関心事について簡単な文章を書くことができる。
- 経験したことや夢、希望などについて簡単に説明することができる。

B2　中上級　Vantage

- 具体的あるいは抽象的なテーマの文章の要旨を理解することができる。
- ネイティブと日常的にコミュニケーションをとり、流暢かつ自然に会話することができる。
- 幅広いテーマについて明確かつ詳しい文章を書くことができる。
- 時事的な内容について自分の意見を述べることができる。

C1　上級　Effective operational proficiency

- さまざまな分野の高度な内容の長文を理解でき、行間を把握することができる。
- 自分自身について流暢かつ自然に表現することができる。
- 社会的、学術的、専門的な目的に応じて柔軟かつ効果的に言語を使うことができる。
- 複雑なテーマについて明確かつ論理的で詳細な文章を書くことができる。

C2　最上級　Mastery

- 見聞きする全ての事柄を容易く理解することができる。
- さまざまな種類の文章や資料から情報を要約し、論証と説明を再構成して発表することができる。
- 複雑な状況でも意味の細かな違いを区別し、自然・流暢かつ正確に自分自身を表現することができる。

ヨーロッパ言語の日（Europian Day of Language）のPRイメージ。欧州評議会はヨーロッパにおける多国語使用を奨励し、2001年から毎年9月26日を「ヨーロッパ言語の日」としている。

習した経験を持つ人々の言語能力や使用状況を把握するのはもちろん、成人後に新しい言語を学ぼうとする人々が計画を立てる際に役立つよう開発された。ヨーロッパ言語ポートフォリオの言語パスポート部分で「自己評価（self-assessment）」基準にはもちろんCEFRが使われている。

このような政策の大きな方向性が模索されつつあった当時、グローバル言語として英語の覇権はすでに拡大しつつあったが、ヨーロッパ人の共通語として英語だけではなくさまざまな言語を使わせようという趣旨がここには反映されていた。そしてこの趣旨は現在も進行中だ。つまり、全世界的に英語の力はますます大きくなっているが、ヨーロッパのほとんどの国では依然として英語の他に第２外国語を必須科目に指定している。このことを通じて、ヨーロッパ地域ではさまざまな言語と地域語教育が行われており、今日の教育現場でも、これらの政策は依然として本来の役割を果たしている。

前述した外国語振り返りシートはヨーロッパ言語ポートフォリオを参考にしている。外国語の振り返りの最大のポイントは「昨日の自分」が歩んできた外国語学習の歴史を通じて、「今日の自分」に合った勉強方法を見つけることができ、自分が外国語学習の主体となる第一歩であるという点なのだ。自らが学習の主体となることの重要性は改めて言うまでもないだろう。

外国語が上手くなるには？
簡単な方法を見つけるには？

1995年から2008年初めまで、京都大学や鹿児島大学などで英語を教えた。開講日、僕は学生たちに決まってこう問いかけた。

「このクラスで学びたいことを書きなさい」

一番多かった答えはこうだ。

「英語が上手になりたい」

日本の大学の教養英語の授業は通常１週間に２回、90分ずつ行われる。１学期に30回余りだ。その程度の授業時間でどの程度英語力を向上させることができるのだろうか。しかも「上手くなりたい」という文章に込められた「上手くなる」という基準はどこにあるのだろう。何も英語だけではない。鹿児島大学では韓国語も教えたが、開講初日に同じ質問をすると、ほとんどの学生の答えはここでも……。

「韓国語が上手になりたい」

だった。

学期の中間や期末になると、学生たちにやはり質問を投げかけた。

「前学期の授業を評価し、これから学びたいことを書きなさい」

生徒たちの評価内容は、授業が易しかった、難しかったなど、主に難易度に関するものだった。具体的に何を学びたいかについての答えはほとんどなかった。数年間この繰り返しだった。そこで僕は一つの結論を下した。学期初めの「上手くなりたい」という回答は、単に学生たちのぼんやりした希望にすぎず、学生自らが自分に合った目標を設定できていないということだ。つまり、自ら学習の主体になれていないのである。主体にならないから目標を設定することができず、そのためどのように勉強すべきかも見当がつかない。当然、良い成果は期待できようもない。

外国語を学ぶとき、誰もが「上手になりたい」と言うが、上手というのはどの程度の状態なのか説明できる人は少なく、さらに上手になれる方法を知っている人はほんの一握りだ。ほとんどの人は分かっていない。これまで学んだ方法に対する不満はあるものの、じゃあ今後どうするのかについてはさっぱりだ。その結果、学習は次のような様相を呈する。

最も一般的なのは、誰かに導かれるままに「ただただ」勉強することだ。外国語学習でもよく見られるジレンマだ。最初はやる気に燃えてスタートを切る。しかし、じきに壁にぶつかってドロップアウトする。

もう一つの様相は「簡単な方法」を絶えず求めてさまようことだ。19世紀末以降、大衆のための外国語教育の始まりとともに登場した多くの教授法についてはすでに述べた。体系的かつ効果的な教育課程のための議論を経て登場した教授法は、結局のところほとんどが学校をはじめとする教育機関のためのものだった。学生より教える教師側の視点に立ったものが多いという限界があり、学生を考慮するにしても集団教育を前提としたものだった。外国語を学ぼうとする個人は以前に比べてはるかに多くなったが、個人ではなく集団としての学生のための教授法開発がメインで、逆説的に独学者のための外国語学習法に関する論議はほとんど行われなかった。

19世紀の中盤までほとんどの外国語学習は、前述したように上流階級やエリート階層の間で主に行われていた。一対一の学習がメインであったため、「多数の個人」のための一般的な学習法に関する議論は不要だった。

20世紀に入って効果的な教授法が探られたが、依然として教師または教育機関の立場を反映したオーディオリンガル教授法への反省を経てコミュニカティブアプローチ中心の教授法が登場し、学習者のニーズを尊重しようとする認識が形成されたものの、それもやはり「多数の独学者」のための学習法とは言えなかった。

20世紀末に入り、学習者個人に注目した研究が多く出てきた。しかし、ほとんどが個人の性格やスタイルなどに関する研究であり、有効な独学法を提示することはできなかった。

このように、独学者に配慮した外国語学習法を巡る本格的な議論は目につかないまま、数多くの外国語学習法や教材が登場し、流行して人気を集め、やがて消えていった。流行と人気のポイントは、今まで出てきたどんな教材、どんな学習法よりも外国語を「簡単に速く」学べるという点だった。「外国語が上手になりたい」という気持ちを持つ学習者たちは、こうした広告に心を奪われ、清水の舞台から飛び降りたつもりで身銭を切って勉強を始める。しかし、上手くいく確率はごくわずかだ。何度もこのような過程を繰り返すと、外国語はもともと難しいもの、特別な人でなければ学ぶことができないものだと決めつけ、永遠に諦めてしまう。

「多くの学習教材で謳(うた)われている簡単な方法が、なぜ私には難しいのか？」

誰もが身に覚えのある疑問だ。答えは簡単だ。「簡単な方法」

という言葉自体に問題があるからだ。簡単な方法とは誰にとって簡単なのか？　不特定多数のすべての人にとって簡単な方法というものが果たして存在しうるだろうか？　そんな方法が果たして自分にも有効な確率はどの程度なのだろうか？「簡単な方法」という言葉に引かれて本を開いても、自ら方法を見つけることができなければ、どんな方法も簡単ではない。その理由もまた簡単だ。そもそも外国語は学ぶことが山ほどあり、長い時間と努力を投資しなければならないからだ。この問題を解決するためには、簡単な方法を探すよりも、自分に合った目標を定め、これに向けて自分に合った方法を探すことだ。その第一歩が外国語に関する振り返りだ。

外国語に関する振り返りは、試行錯誤を繰り返してきた数多くの成人学習者なら避けては通れない過程だ。今までの自分の外国語学習史を客観的に振り返りながら、自分にどのような限界があり、何が強みなのかを把握してこそ、自分に合った外国語学習の方向を主体的に探すことができるのだ。

06

「昨日の自分」が現れて
「今日の自分」を助けてくれる

「昨日の自分」は集中力に問題があった。そのため、学習についていけず、見落とすことも多かった。でも、「今日の自分」は少し違う。集中できない場合でも、集中力を高められる方法を見つけることができる。得意なことに集中し、のめり込むこと。できないことばかりに気を取られてあきらめていた「昨日の自分」が「今日の自分」に与えてくれる教訓だ。

「昨日の自分」よどこへ？
「今日の自分」よどうする？

外国語への振り返りを通じて、学生時代のある日の外国語の時間に、しばし思いをはせてみよう。何十人もの生徒を前にして、一人の教師が同じ内容を教えている。学生一人ひとりに合った教授法ができないため、同じ教室に座っていても、学生ごとに理解度はまちまちだ。今になって思えば、学生時代の授業時間は目に見えない衝突の連続だった。教えようとする教師と教えられる学生の立場が、お互いに違う強さで衝突し続ける。

100人の高校生がいると仮定してみよう。上から10%は教師の授業内容をよく理解できる優等生だ。このうちの一人や二人は非常に模範的な学習者だっただろう。彼らは教師が教える内容をそのまま吸収することができる。ここではほとんど衝突が起きない。下から10%の学生たちは授業内容がさっぱり理解できない。教師が話している内容がまったく受け入れられない。極度の衝突が起きている状態だ。彼らは外国語に対してイヤイヤと拒否反応を見せる。残りの80%はどうだろうか。授業内容はある程度理解できるが、だからといってすべてを理解しているとは言えない。課題には何とか必死についてはいけるが、自分が外国語が上手だとは思っていない。ある程度の衝突があることはあるが、自分の問題点をよく分かっていない。

「昨日の自分」は果たしてどこにいるだろうか。微妙な衝突を経験した80%に属している可能性が高い。では「今日の自分」はこれからどうすればいいだろうか。

外国語は暗記だらけだ。単語はもちろん文法の理解にも暗記が必須だ。英語の一般名詞の複数形には‘s’が付く。しかし魚を意味する「fish」は単数と複数形態がまったく同じだ。「fishes」と書くと「魚類」という意味になる。丸暗記するしかない。韓国語もそうだ。「하다（ハダ）(する)」「가다（カダ）(行く)」「사다（サダ）(買う)」に丁寧さを表す語尾の「-요」を付けることを考えてみよう。「가요（カヨ）(行きます)」「사요（サヨ）(買います)」は大丈夫だが、「します」と言いたい場合は「하요（ハヨ）」ではなく「해요（ヘヨ）」となる。外国人が韓国語を学ぶとき、やはりこれも丸暗記するしかない。しかも「하다」は頻出動詞なので、最初に集中して覚える必要がある。ただ、よく出てくるので覚えやすくもある。

使用頻度の低い動詞の例外のほうが覚えるのは大変だ。日本語の場合はどうだろうか。「する」の変化は不規則だ。「来る」もそうだ。日本語を初めて学んだとき、この二つの動詞変化の理由などは考えず、とにかく丸暗記しろと強調された。外国語学習者の中には、非常に理詰めで学ぼうとする人がいるが、このようなタイプの学生は、すべての単語の変化に論理的な説明を求める。それが行きすぎると、授業をスケジュール通りに進めるのが難しくなる。先生はそのような事態を未然に防ぐために事前に警告したのかもしれないが、とにかくどんな言語でも不規則な部分は必ずあるものだ。そのような場合は、理詰めで調べようとするよりも、何も考えず丸暗記する覚悟がいる。結果的にその先生の話は正しかった。

これは何も動詞の変化のように文法だけに当てはまることではない。例えば日本語には日常生活で使われるお決まりの表現が多い。食事の前には自然と「いただきます」が使われるし、「よろしくお願いします」も職場や社会生活でよく使われる表現だ。日本語を学ぶ初心者がこのような決まり文句の語源を突き詰めていくのははっきり言って徒労だ。やはりひたすら丸暗記すること、それだけだ。「すみません」も、一般的に謝罪の言葉として知られているが、なんと「ありがとう」という意味でも使われたりする。一つの表現にさまざまな意味が込められているということも、やはり丸暗記するしかない。

丸暗記と言えば発音のことも忘れてはいけない。言語ごとに発音の範囲は広く、学習者によっては特に難しく感じられるイントネーションもある。「言語学概論」の授業でイントネーションを紹介するとき、英語の「no」をよく例に挙げる。この簡単な言葉はイントネーションによって意味が全然違ってくるからだ。断るとき、驚いたとき、良いとき、怒ったとき、よく分からないときなど、状況によって「no」のイントネーションは異なる。日本語の「そう」もイントネーションによって意味はさまざまだ。主に相手の意見に同意するときに使われるが、強く同意するとき、仕方なく同意するとき、励ます気持ちを込めて同意するときなど、イントネーションによって伝わる気持ちも変わる。これらすべてを覚えなければならないのだから、外国語のマスターのためにはやっぱり努力が欠かせないのだ。

「昨日の自分」が「今日の自分」に与えてくれる教訓

こんなふうに、外国語の学習においては新しい文章に出会うたび新しいことが次々姿を現す。これらすべてを理解して使いこなすには、やはり暗記しかない。一にも二にもやっぱり暗記、とにかく暗記、ひたすら暗記だ。では、暗記をする上で一番重要なことは何だろう。それは集中力だ。しかし、僕自身もそうだし僕の学生たちを思い浮かべると、集中力に自信がないことが多い。教師と学生の間に起こる微妙な衝突の震源地がまさにこの点にある。つまり、集中力を制することが最も難しく、同時にこれさえ解決できればしめたものだということだ。

クラスの上位と下位それぞれ10%を除いた残り80%に属していたであろう「昨日の自分」も、授業中のよくわからない箇所で集中力が途切れ、そのせいで授業についていけなかったのだとしたら？　この問題を解決しないで再び外国語学習を始めても、きっとまた同じ問題を繰り返す可能性が高い。しかし外国語の振り返りによって「今日の自分」はちょっと違った対応ができる。「昨日の自分」がどんな瞬間に「よそ見」をしたのか振り返ってみると、その瞬間をどのように克服し、集中し続けられるか分かる。問題を把握せずに解決策を模索することと、問題点を押さえ、それに合った対策を立てることとは月とスッポンの差だ。「昨日の自分」が授業に集中できなかったのなら、集中できない場合に備えて集中力を高める方法をあらかじめ探ることができる。

ここで集中力についてちょっと説明しておいたほうがいいだろう。集中力は外国語に限らず、あらゆる学習の重要ポイントだ。この解決のために僕が見つけた方法は「ハマる」こと、つまり「フロー（flow）」だ。正直に言うと僕が見つけたわけではない。フローはハンガリー出身の心理学者ミハイ・チクセントミハイ（Mihály Csíkszentmihályi 1934 ～）が1970年代から主張してきた一種の心理状態を指す。チクセントミハイによると、フローは、遂行すべき仕事の難易度と、遂行者の能力のバランスが取れたとき発揮される。

ミハイ・チクセントミハイ

すなわち、遂行者の能力に比べて遂行しなければならない仕事が難しすぎると、フローが難しく、逆に簡単な仕事をするときもやはりダメなのだ。

「フロー」とは、簡単に言えば何かに取り憑かれている状態を意味する。フローに陥れば、人はどうなるか。時間が経つのも忘れるほどそのことに集中し、その結果に大きなやりがいと充実感を味わうことになる。夢中になって、最高の集中状態を味わう快感は、経験しないとわからない。チクセントミハイはここに「フローによって自我による感情と心理的な障壁を越えることができる」と付け加えた。

では、このような「フローの境地」には、誰もが簡単に到達できるのだろうか。「昨日の自分」は授業中になぜそんな瞬間を体験できなかったのか。答えは簡単。授業の難易度と個人の能力の間でバランスが取れなかったのだ。授業内容、教師の説明が自分の能力に比べて難しかったか、逆に易しすぎたのかもしれない。難しかったなら、もう一度説明してほしいと要求すればよかったのかもしれないが、授業時間にそんなふうに質問するのはなかなか難しい。だから、学習者だけのせいというわけでもない。

かといって、いつでも最高のフロー状態にいなくてはいけないということでもない。鹿児島大学で韓国語を教えていたときのある学生の話をしよう。この生徒は授業時間ごとに目つきと表情がくるくる変わった。発音練習のときには目がキラキラして、書き取り試験でもいつも満点だった。授業中だけでなく、家でも暇さえあれば発音練習をしているらしかった。その瞬間、その学生は韓国語の発音練習に深くフローしていたわけだ。一方、単語と文法の説明では急激に目が死んだ。試験の点数もかんばしくなかった。でもその学生の韓国語の発音はとても素晴らしかったし、韓国語にも変わらず高い関心を持っていた。その関心をバネにして、韓国語の勉強を続けていきたいと言った。彼は韓国語学習の勝ち組だったのか、それとも負け組だったのか。僕は前者だと思う。

僕らは外国語を習う際、読解、作文、聴解、満遍なくできなければならないと考えがちだ。それが外国語が上手だということだと。もちろんそうできれば万々歳だが、一人がうまくできることには限界がある。得意なこともあれば、苦手なことだってある。外国語だってそうだ。得手不得手がある。せっかく始めた外国語、学習者である自分自身が夢中になれる部分を見つけて、そこに集中すればいい。発音はちょっと苦手でも、読解の勉強はできそうなら、読解の勉強に集中することで達成感を満喫すればそれで十分だ。読解力が向上するにつれて、自信のなかった発音も少しずつ良くなっていることに気付けるだろう。得意なことに集中し、打ち込むこと。これは、できないことばかりに気を取られてあきらめていた「昨日の自分」が「今日の自分」に与えてくれる教訓だ。

できなかった自分からできる自分に、敗北感を達成感に

時折、外国語を一日にどの程度勉強すべきか尋ねられることがある。答えは決まっている。簡単だ。自分に合った時間、学習量が一番だ。

成人学習者の最大のネックは時間だ。仕事は忙しいし、家族との時間も大切だ。社会的な関係も無視できない。忙しい日常の中で、外国語学習のために別の時間を割くのは、よほど大きな意志がなければ難しい。逆に、良いこともある。学校を卒業した成人は、学生時代と違って勉強できる選択の幅が非常に広い。教室に通うこともできるし、通って気に入らなければ他の教室に変えることもできる。オンラインを活用して勉強してもいいし、気の合う仲間同士集まって一緒に勉強したりもできる。

一番肝心なことは、どこで誰とどれだけ多く勉強するかより、自分に合った学習方法を探すことだ。前述したとおり自分が主体とならなければいけない。まずその学習法に自分が集中して没頭できる部分があるか確認してみよう。せっかく忙しい時間を割い

て始めた外国語の勉強でも、夢中になれる部分がなければ集中することも難しく、達成感も味わえない。結局、三日坊主になってしまう。逆に、限られた時間に一気に集中して勉強すれば、その充実感は言葉にできない。その快感こそが、勉強の最高の追い風となる。

ある韓国の会社員の話。工学部を卒業し、関連の業種にすんなり就職した。その後は外国語を学ぶ必要はなかったが、数年前から中国に取引先ができ、年に3、4回中国との間を行き来することになった。現場の人々に好印象をもってもらうために、易しい単語と基本表現を少しずつ身につけ始めた。もともと漢字をよく知っている方だったので単語を覚えるのは得意だった。そうして始めた中国語をほぼ毎朝約20分勉強するようになった。その程度でも、中国への出張が一段と楽しくなったという。「自分が知っている漢字を他の方法で読むことがますます面白くなり、同じ漢字を他の意味で書くことも楽しい」というわけだ。彼は、もっぱら漢字の使い方を通じて、中国語の達成感を味わったのだ。もし、他の人たちがよくやるように、毎日1、2時間ずつ中国語教室に通って、退屈に耐えながら勉強していたら？　きっと彼はこんなふうに楽しみながら中国語を学び続けられなかっただろう。

誰もが知っているように外国語は学ぶことも多く、一定のレベルにたどり着くまでの時間もかかる。だからといって、無理だと決まっているわけでもない。外国語の難しさは、大人なら自分でコントロールできる。難しく感じたなら、自分の条件や性格、習慣などを考慮に入れて積極的に他の方法を探さなければならない。他の人によって作られた枠の中で、提示される「簡単な方法」に従って「ただ」勉強するだけでは、外国語学習の成功は見込めない。その堂々巡りを続けていたら、いつまで経っても外国語は難しいものであり続けるだろう。

過去の試行錯誤を振り返り、自分に合った方法を探して自分で自分の外国語学習をリードしよう。自らリーダーになって学習を続ければ、これまで心の片隅にこびりついていた外国語に対する敗北感から解放される瞬間が来るはずだ。

07

新しい外国語学習をめぐる限りなき激論

外国語学習は時間も労力も山ほどかかる。早く簡単に外国語がマスターできると謳う教授法が次から次へ登場してきたが、それは最初から無理な相談だ。ほとんどががっかりするような結果に終わる。もし素晴らしい教授法が誕生したら、外国語は簡単になるだろうか。残念ながらさにあらず。個人差というものがあるからだ。

寝ていても外国語を読んだり書いたり聞いたりできる？

これまで外国語学習の歴史を振り返ってきた。集中すべき事柄を選択して「ハマる」ことの重要性についても語った。それらを通じて、自分なりの学習法が浮かんできたなら、今こそ外国語学習を始めるタイミングだ。実践を通じて状況に合わせて少しずつ修正・調整しながら前に進んでいこう。誰かの話に耳を傾けるよりも、自らの目標に合わせて、日常生活の中で、誰がなんと言おうと自分が決めた道を着実に歩むことが一番大事だということを忘れてはいけない。

外国語を学ぶという行為は実際どんなふうに行われるのだろうか。僕らが外国語を学ぶとき、具体的に何を学ぶのか考えてみよう。伝統的に外国語教育には４本柱がある。学校教育を受けた人ならお馴染みの、会話・聴解・読解・作文の「４技能」と呼ばれるやつだ。

外国語教育イコール「確実な読解」だった19世紀末までは、文法を分析し、自国語で開発された教材を使って教え、学ぶのが一般的だった。しかし、1900年代末、外国語教育革新運動を通して外国語教育の主な目的が読解から会話と聴解へと変わり、「話したり聞いたりが流暢にできること」へと外国語教育の認識が変わったという話はすでにしたとおりだ。

時代による多少の変化はあったものの、４つの技能の中で読解、会話、そして聴解は外国語学習のメイン部分として常に注目されてきた。作文はずっと例外だった。外国語教育革新運動以前および以後も依然として補助的なものと考えられ、留学準備をする人以外の一般的な学習者には会話、聴解、読解に比べてその優先度は低いと考えられてきた。

しかし、世の中は変わった。これまで疎かにされてきた「作文」が、歴史上こんなに注目されたことがあるだろうか。世界中の人々が共有するSNSの登場により、伝えようとすることをシンプルな文章で表現できる作文への関心が高まっている。韓国でハングルを綺麗に書くことへの関心が高まっていることを僕は知っている。しかし、外国語で文章を書きたいという欲求も、ずいぶん前から高まっている。自動翻訳を通して意味を伝えるのではなく、自分の言葉を自分のスタイルで書きたいという欲求だ。

ようやく４技能が満遍なく扱われるようになったわけだ。ところで、このような４技能を中心とした伝統的な学習法に対する異論はなかっただろうか？　もちろんあった。このことに関しては非常に激しい批判とそれに伴う議論が交わされている。最も代表的な批判は、このように４技能をバラバラに学ぶことが、実際にその言語を使用する人々とコミュニケーションできるようになるのに果たしてどれほど効率的なのかということだ。

最大の問題は、技能をバラバラにして学ばれた外国語は、実際にその言語のネイティブが使う言語と違うことだった。これにはさらに深い問題が含まれている。つまり、学習言語のネイティブたちが実際に使っている言語はどうやったら学べるのかということだ。おわかりのように、対話というのは一人ではできない。話を聞く相手が必要だ。最初は最低限の発音と単語からスタートする。これで基本的なコミュニケーションができる。より自由自在に対話をするためには、状況に合った表現を学ぶ必要がある。

単語と簡単な表現だけを使うレベルなら敢えて文法まで学ばなくても良いが、より上手に話そうとすれば文法が欠かせない。発音→単語→簡単な表現方式→文法と学ぶことがどんどん増えて、負担はその分大きくなる。負担が大きくなりすぎると外国語学習に嫌気が差し、ドロップアウトするケースが増えてくる。学校なら嫌々にでも学ばされるが、何のモチベーションもない外国語の勉強は苦痛そのものだ。そのために言語、すなわち「言葉」を4技能に分けて学習者の負担を減らそうとしても、そもそも人工的な分類なので実際のネイティブの言葉を学ぶにはあまり効果が望めない。

外国語学習の新しい試み、
課題（タスク）を中心に学んでみたら？

20世紀末、このような学習法の限界が露呈し、外国語教育界では相次いでさまざまな試みが行われた。その動きの中で課題（タスク）中心学習（task-based learning）が登場し多大な影響を及ぼした。課題中心学習の基本的理論は、20世紀の多くの教育改革の基礎となった。これが「行為による学習（learning by doing）」だ。例えば、何かを学ぶとき、他の学習者と協力して問題を解決することで学習の達成度が高まることが期待される。課題について話し合い解決方法を探るプロセスで学習者同士が助け合うので、より深い学習が可能になる。

外国語学習での適用例を見てみよう。例えば、授業時間に外国語を使用して、課題をみんなで一緒に解かせることも一つの方法だ。僕も1980年代末、高麗大学の英語教育科で課題中心の学習をよく取り入れた。例えば、学生たちと一緒に大学の博物館に見学に行く。グループごとに興味深い展示物を見つけた後、次の授業時間に自分たちが見た展示物について英語で説明してもらった。

もちろん博物館の中では学生同士は韓国語を使っていたが、次の授業の発表と討論はすべて英語で行われた。これらの課題は結果として二つの効果があった。まずは学生たちの英語力が目に見えて向上した点、もう一つは学生がいつにも増してやりがいを感じたという点だ。英語で外国文化について話す代わりに自国の文化について話す学生たちのいきいきとした表情は今でも忘れられない。1980年代末にはインターネットどころか、コンピューターもあまり普及していなかった。ひょっとしたら、当時のような課題を今出せば、さらに興味深い学習ができるのではないかと思う。

もう一つ思い出がある。1970年代、故郷のアナーバーにオルタナティブスクール（代替学校）が開校した。その学校に通っていた友達から、フランス語の先生が授業時間に学校の調理室でパンとお菓子を作りながらフランス語を教えているという話を聞いた。今考えてみると、このような授業こそ文字通りの「行為による学習」だ。フランスの食文化を通じてフランス語を学べるなんて！

そのとき生徒たちは先生が課題として出したパンとお菓子を作りながら外国語も学び、友達と協力してフランスの食文化も身につけることができたはずだから一科目の授業を通じてさまざまな目標が達成できたにちがいない。

しかし、このような課題中心の学習にも明らかな限界がある。ネイティブ教師ならこのようなスタイルを自信を持って授業時間に適用することができるが、非ネイティブ教師の場合は荷が重く感じるだろう。これに合う教材開発も難しく、韓国のように非ネイティブ教師が多い国では現実的に課題中心の学習の定着には限界がある。

それに、生徒数の多い進学校では生徒たちに歓迎されない可能性も高い。全生徒が同じように学習モチベーションが高いわけでもないうえに、たとえ大多数の生徒が学習モチベーションが高かったとしても、外国語学習より、大学入試で高い点数を取ることの方がもっと重要だと考える生徒が多いことは想像に難くない。そのような生徒は、フランス語の時間にパンとお菓子を作ろうとすると、かえって面倒くさがり、そんな暇があるなら予想問題を一問でも多く解いてほしいと思うだろう。つまり、このような教授法は、生徒数が少なく学習者のモチベーションが特に高い環境にふさわしいと言える。

今度は生産的技能と受動的技能で？

外国語学習を効果的に行うためのもう一つの試みを紹介しよう。外国語を受け入れる人間の脳内で起きる心理的動きによって、4技能を生産的技能と受動的技能に分け、二つの技能の相互関係を通じてそれぞれの技能を最大限に引き出そうという試みだ。

生産的技能とは、脳が言葉や文を作って表出することで、会話と作文がこれに該当する。このためには、単語、表現、適切な文法を活用することが重要だ。受動的技能は外から脳の中に入ってくる刺激を処理することで、聴解と読解がこれにあたる。このためには刺激の内容を理解できる能力が必要だ。

生産的技能	受動的技能
会話	聴解
作文	読解

このような技能を極大化するためには二つの技能の相互関係が重要だが、例えば生産的技能の会話と作文を同時に学ぶのではなく、生産的技能である会話と受動的技能の聴解を同時に学ぶ方が自然で、はるかに効果がある。

ではどうやって学べばいいのだろうか。ここにもさまざまな理論が登場する。まず、赤ちゃんが言葉を習いだす頃を考えてみよう。生まれたばかりの赤ちゃんはしばらく周りの話を聞いてばかりいる。もちろん、赤ちゃんも声を出すが、周りの言葉を聞きながら言語の発音体系を習得する。こうしてみると、人間の言語習得は受動的な技能である「聴解」からスタートするわけだ。しかし、成人学習者の言語習得は赤ちゃんとは違う。なので比較には限界があるが、確かなことは初級の段階で一生懸命聞くことは明らかな効果があるという点だ。

この効果を伸ばすためには、学習した単語と文法事項を実際に使ってみる機会を増やすのがいい。そうすれば、その言語の特徴、話す人の特性を感じることができるようになる。言葉の流れ、声の音程、表現方法などすべてが学習のベースになるが、聞けば聞くほど文脈の意味を正確に把握することができる。例えば、前述した「no」のイントネーションごとの意味の違いを頑張って覚えなくても、聴解練習を重ねれば自然にそのニュアンスの違いが掴めてくる。

このような効果は、日本の大学における教養英語の講義では別名「英語シャワー」とも呼ばれ、聴解からスタートする授業が多い。このような聴解練習はネイティブでも非ネイティブでも導入ハードルが低いため人気が高い。

この点に着目して、19世紀末から子供の言語習得過程は外国語教育方式の一つとして注目され、20世紀に入って著名な学者スティーブン・クラッシェン（Stephen Krashen 1941～）によって理論化された。第２言語習得理論の権威者にして読解力教育の専門家として知られる彼の理論によると、外国語を流暢に駆使するためには習得過程が必要だが、外部から「言語的インプット（linguistic input）」を受けるのがその第一段階だ。聴解と読解がこれに該当する。1980年頃までクラッシェンは聴解を最も強調していたが、1990年代からは自由な多読の重要性を唱えた。その過程ののちにすべての技能に拡張、使用すれば、学習したすべての内容の習得が自然に行われ、言語を自動化して操ることができるようになるというものだが、クラッシェンにとって「自動化（automatization）」は「流暢性（fluency）」の基本要素であり、習得を経て自動化につながる過程は言語学習において非常に重要だ。クラッシェンの理論が登場してずいぶん経つが、20世紀後半に行われたグローバル化の一環として世界的に広まった外国語教育改革に、彼の理論が及ぼした影響はとても大きい。

では、外国語学習を生産的・受動的技能に分けることの問題はないのだろうか？　もちろんある。聴解と読解がまったく受動的でないというのが最大の問題点だ。ちょっと考えればわかることだ。何かを聞くとき、その意味を理解するために脳は活発に働いている。新しい知識を理解するために、僕らの脳はすでに知って

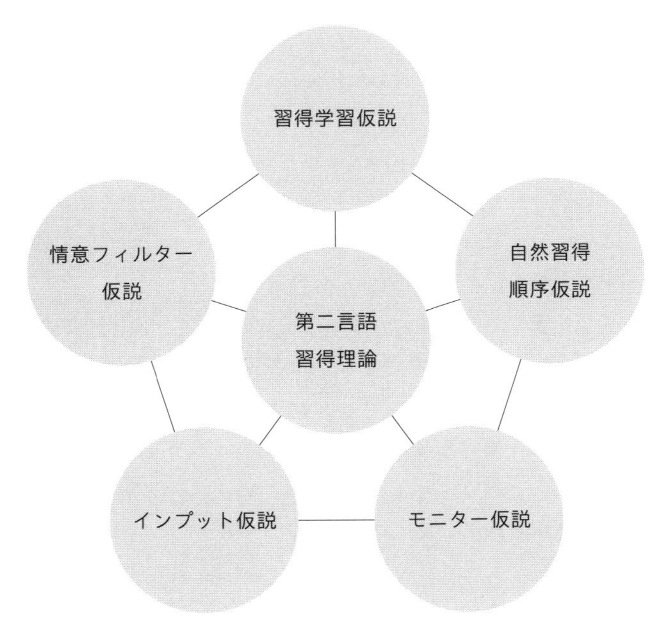

スティーブン・クラッシェンの言語習得論における主要な仮説

いる知識を活用する。読解も同じだ。外国語が難しい理由の一つがまさにここにある。すでにある知識をフル活用してはじめて流暢に言語を使いこなすことができる。このように見ると、言語のすべての技能は受動的と見ることはできず、聞いたり読んだりして習得されたものでも、すでに知っていることを活用してもう一つの意味を生産する行為だとすれば、すべての技能は生産的だと言える。

それなら4技能をどう考えるかということが外国語教育で改めて考慮すべき唯一のポイントなのだろうか。ともすれば見逃しがちなことがある。非常に古く、ある意味伝統的な問題点でもある。それは僕らが一般に学んでいる外国語教育には、社会的言語使用に対する十分な考察が抜け落ちているという点だ。

誰にとっても素晴らしい学習法？

言語は社会とともに生きている。「生きている」という言葉は変化するという意味でもある。だが、歴史的に外国語教育の中心は文法だった。もちろん、19世紀末から「言葉」を教えることに関心が持たれ始め、発音が重要視され、表現方式に対する関心も高まり、1960年代以降、社会言語学的観点を取り入れることにも関心が高まった。しかし、それは主に世間で使われている適切で丁寧な表現に限定された。

言い換えれば、社会言語学の観点から外国語の実践に対する関心が高まったものの、教育課程全般を見るとあいも変わらずメイン舞台の片隅にいて、その状況は世界がさらに狭くなった今日でも大きく変わっていない。その一方で、学習する言語圏の文化も教えなければならないという主張も出ている。文化の定義というものは曖昧だが、その言語を使う人々の文化を正しく知らないと、言語の使用にも限界があるということから始まった主張だ。例えば、韓国語を学ぼうとする外国人がタメロ（パンマル）と敬語を使い分ける韓国文化を理解できなければ、韓国語をまともに使うことができないことを考えればわかりやすいだろう。敬語とタメ口が使われる社会の状況を理解し、それに従って韓国語を学んではじめて、きちんと韓国語を学んだと言えるのではないだろうか。

いろいろ話が長くなったが、結局は外国語が上手になるためには学ぶべきことが山ほどあるということだ。ちょっと見ても発音や文法・単語・表現など言語体系を熟知しなければいけないし、該当言語圏の社会的・文化的特徴を含めた言語の使い方を知らなければならない。学ぶことがあまりにも多いので、「早く簡単に外国語を学べる」と謳う教授法が絶えず登場し、「秘訣」についての広告が飛び交いつづけている。でも、それは最初から無理な相談なのだから、ほとんどの人は失望してやめてしまう。もし仮に最高の教授法が登場すれば、外国語は簡単に学べるようになるだろうか。残念ながらさにあらず。個人差というものがあるからだ。

08

最良の学習法と学習者、個人差との関係は？

外国語を勉強しようと思う理由は？　学生時代に戻って先生からこんなふうに聞かれたら、何と答えるべきなのだろう。どんな返事ができるだろう。当時も今も、自分のキャラクターをよく把握して自分の意思を伝えられる人は果たしてどれほどいるだろう。

僕らはみんな学校の外にいる

さきほど、オーディオリンガル教授法とコミュニカティブアプローチ教授法について簡単に紹介した。外国語学習が「読解」から「会話」中心に移り登場したオーディオリンガル教授法に続き、学習者一人ひとりの個性を現場で初めて考慮して登場したのが、コミュニカティブアプローチ教授法だ。その教授法は、以前に比べ学習者のニーズを反映しようとしたという点で、パラダイムの変化を呼び起こした。だからこれは「教授法」の一つというより「教授哲学」と定義すべきだと主張する学者たちもいる。

厳密に言えば、個性を考慮したというよりは、学習者のニーズを尊重したという点で、この教授法は意味がある。では、学習者のニーズとは何か。簡単に言うと、コミュニカティブアプローチ教授法は外国語を学ぼうとする学習者の気持ち、すなわち学習目的に関心を持っているという意味だ。例えば、貿易関連業務のために英語を学ぼうとする学習者なら、その目的に合わせて英語を学ぶとき、最大の効果が引き出されるといったように。

コミュニカティブアプローチ教授法が1980年代に流行し、同時に特定の目的のための英語も流行したが、これらは結果的に目的が明確な学習者はもちろん、外国語教育の専門化にも大きく役立った。現在でも特定の目的のための外国語教育はよく見られる。

では、これで外国語教育は効果的な方法を見つけられたと言えるのだろうか。結論から言うと、コミュニカティブアプローチ教授法は万能薬ではなかった。やはりここにもいくつか問題があった。まず、一般の学校での外国語授業は依然として学習者のニーズではなく、カリキュラム中心、教師中心で構成されていた。国家や教育機関のカリキュラムは、学習者の個性よりも、大人数の学習者をまず考慮しなければならず、また教育を通じて成し遂げようとする社会的目的に沿っている必要があった。

学校で生徒たちが外国語を教わる理由は何だろうか。もちろん個人の知的能力を向上させるためでもあるが、究極の目的は社会に必要な市民の育成にある。これは外国語教育だけに限った話ではない。近代以降、多くの国で公教育機関が設立され、義務教育が実施された目的も同じだ。社会発展のために市民が備えるべき基本的な素養を教えることが公教育機関の誕生の理由なら、学校で行われる外国語教育で個人のニーズを最優先すべきだという主張は、もしかしたら最初から無理があったのかもしれない。

教師の指導資料にはカリキュラムごとの目標が記載されている。例えば、「英語で簡単な挨拶を交わすことができる」とか「簡単な英語の文章を書ける」といった一般的な目標がほとんどだ。ここに「個人のニーズを把握し、それに合った表現を教える」という目標は、そもそも贅沢なお願いなのだ。

僕らが外国語を学ぶ最初の現場は、ほとんどこのような公共の目的から生まれたところだ。だから、学習者もやはり自分が何を望むのかについて考える暇もなくひたすら学校で教えられるままに学び始める。そんな学習者が、ある日突然こんな質問を投げかけられたらどうなるだろうか。

「はい、では今からみなさんが外国語を勉強しようとする理由や目的が何なのか言ってみてください」

さて、学生時代にタイムスリップして先生からこう聞かれたら

近代初期のイギリスとその植民地に登場した子ども向け小規模私立学校の授業風景。トーマス・ウェブスター、〈婦人の学校〉、1845年、イギリス・ナショナルギャラリー所蔵

1901年　アメリカ先住民の子どもたちのための英語授業風景。フランシス・ベンジャミン・ジョンストンがペンシルバニア州カーライルインディアン学校で撮影したもの。アメリカ国会図書館所蔵

果たして何と答えるべきだろう。どんな返事ができるだろう。当時も今も、果たして自分の意思をしっかり把握して答えられる人がどれほどいるだろう。

言い換えれば、オーディオリンガル教授法が学習者の考え方やニーズなどおかまいなしで問題だったように、コミュニカティブ

アプローチ教授法も学習者がみんな自分の外国語学習の必要性や目標をよく分かっているという前提に立っているのが問題だったわけだ。外国語を学ぶ目的が明確でない学習者が明確なニーズを提示することはできないからだ。

コミュニカティブアプローチ教授法に続き、1990年代後半にはもう一歩進んだ「ポストメソッド教授法（post-method）」が登場した。ポストメソッド教授法は簡単に言うと、一つの教授法にとらわれず学習者の要求に合わせていろんな教授法を適切に活用しようというものだ。その主目的は学習者が興味を感じて楽しく学習できるようにすることにある。それまでの教授法が学習の成就度に注目したなら、ポストメソッド教授法は学習者個人の進歩を何より重要視する。それどころか、ポストメソッド教授法の論理では外国語を学んでいる途中に他のことに興味が生じたなら、外国語実力は伸びなくてもかまわないというのだ。学習の結果よりも過程の方を重要に考えるという、人間中心の哲学もやはりポストメソッド教授法の特徴だ。規定のカリキュラムに忠実であるべき学校で「ポストメソッド教授法」導入には限界があるが、生徒の個性と自律性を尊重することこそ学習効果を最大限に引き伸ばすことができるという信念を持った教師によって、進学校でも試される事例が増えている。

しかし、ここにも考えるべきポイントはある。オーディオリンガル教授法が学習者の個性とニーズを考慮せず、教師が教える内容と方法に焦点を合わせていたとすれば、ポストメソッド教授法は反対に教師の立場を考慮せずに学習者のニーズと個人の進歩にだけ重きを置いているという点だ。つまり、ポストメソッド教授法は既存の教授法そのものに対する批判的性格が強い反面、教師が具体的にどのように教えるべきかについては二の次の面がある。

今まで僕がどうしてしつこいほどオーディオリンガル教授法、コミュニカティブアプローチ教授法、ポストメソッド教授法など、いろんな教授法について敢えて見てきたかというと、そこにはちゃんと理由がある。まず、僕らがこれまで学校という公教育機関を通じて経験した学習法について客観的に見る必要があるからだ。僕らは正規のカリキュラム、学校現場で経験した外国語教育に一番馴染みがある。これまで見てきたように、学校現場の最優先課題はすべての学習者に公平な機会を提供することだ。言い換えれば、学校は同じ目標に向かってすべての学生が進むことができるように均等な機会を提供することを最優先に考え、そのためにベストを尽くす。オーディオリンガル教授法、コミュニカティブアプローチ教授法、ポストメソッド教授法、いずれもそれぞれ違いはあっても、同じ教室に座っている学生たちを同時に引っ張っていくための教授法という共通点がある。

しかし、だ。僕らが今立っている外国語学習の現場は、もはや学校ではない。立っている場所が違うなら、目標と方法も変わらなければならない。でも、それができているだろうか。すでに卒業して長い長い時間が経った大人たちが、決心して再び外国語学習を始めようとする瞬間、心は知らず知らずのうちに学生時代のあの教室のあの椅子に座っていたりする。それでいいのだろうか。学校の外にいるのなら、学校で決められたとおりに外国語を学ぶのでないなら、まずはそこから脱出しないといけない。

ではどうするか？　僕らが振り返ってみるべきは、自分自身の個性だ。自分は大勢の人と一緒に、フランクにおしゃべりするのが楽しいのか、一人で静かに勉強したいタイプなのか。自分はなぜ、何を目標に外国語を学ぼうとするのか。自らにこのような質問を投げかけて答えなければならない。その答えを見つけることこそ、古いやり方から抜け出し、自分に合った方法を見つける近道だ。

世の中にまったく同じ人は一人もいない

「外国語を学ぶとき、学習者の個性はどんな影響を及ぼすか」

世の中に自分と同じ人はいないはずだが、外国語教育業界で個人的な要素が取り上げられることはほとんどない。教授法と教材をめぐる議論が行われるたびに、まるでみんなが同じ条件で学んでいると思っているかのように感じられることが多い。だから、ちゃんとした検証を経ていない一部の教授法や教材が、すごい秘伝でもあるかのように脚光を浴び、ブームになるのが常だ。そして、やがてその人気が衰える盛者必衰の理も見られる。

では、外国語学習に及ぼす個人的要素には、どんなものがあるだろうか。一言でいうと、性格と感情だ。人それぞれ性格が違うのは言うまでもない。しかし、このような個人の性格が外国語学習にも影響を及ぼすというと、変に思われるかもしれない。

わかりやすく、まず外向的な性格と内向的な性格を思い浮かべてみよう。外向的な人は誰かと話すことや新しい出会いが好きだ。自信満々で人と付き合うことを怖がらない。一方で内向的な人は、顔馴染みや心を許せる相手でなければ、自分の話をしたがらない。新しい出会いに負担を感じたりもする。たいていの人は両方の性格が絡み合っている。誰もがウルトラ外向的とスーパー内向的のグラデーションの間のどこかを行き来している。

外国語を学ぶには絶対的に時間が必要だ。新しい言語システムを学び、学んだことを何回も練習しなくては習得できない。外向的な人は誰かと話をするのに躊躇しないので練習のチャンスをより積極的に探し出す。その人の自信がどれほど内面化されているかを一般化することは難しいが、表向きには外向的な面が強い人ほど自信を持って話し、すぐには言葉が通じなくても積極的に解決策を探そうとする。

一方、内向的な面の強い人は、話す練習がしたくても、自分が知っている知識を自信を持って表現することをためらう。その心理的な壁を乗り越えるにはさらなる努力が必要だ。はっきり言って、外国語を学ぶときは自信を持って、積極的にたくさん練習する方が有利だ。練習によって新しい情報をインプットしなければ、いざというときに「私のもの」として使い物にならない。流暢に外国語を話したいなら、インプットしておいた内容がスッと自動的に出てくる必要がある。そして練習なしに自動化は起きない。

対象の外国語に向けた個人の感情も重要な要素だ。その言語を使う国と文化圏に対してポジティブな関心と好奇心があれば、より効果的な学習が可能だ。

大人になって外国語を学ぼうとするとき、多くの人はネイティブ講師の前で流暢に話している自分の姿を思い浮かべる。しかし、やがてほとんどの学習者はそれは「近づきたくても遠いあなた」であることに気がつく。特にビギナーの場合、ネイティブと自由に会話をするまでには多くの時間が必要だ。だからといって挫折は禁物だ。

学校の外にいる僕らにとって外国語は、短期間で決着をつけなければならない対象ではない。義務も責任感もまったくないのもちょっと困るが、無理矢理に自分を追い込むこともない。

自主的な学習は進学や就職、昇進のようにわかりやすい目標がないことが弱点のように思われるかもしれないが、その代わり僕らには豊富な人生経験と好奇心がある。これらを土台にして、自分の個性と趣向を尊重しつつ自分が何をしたいのか考えてスタートする方が、どこにでも転がっている外国語の秘訣を捜し求めるよりずっと効果的だ。そんなふうに自分をリスペクトし、好きなことを把握することが先決だ。それを素早く見つける人も、時間がかかる人もいるだろう。何度も何度も試行錯誤を繰り返すこともあるだろう。確かなことは、そのように自分にベストな方法を探しながら、自らの目標に合わせて地道に勉強を続ければ、知らず知らずのうちに実力はついてくるということだ。

09

ロバート・ファウザー流
「外国語が上手くなる方法」

外国語の実力が伸びるにつれ、人生はさらに広がり、豊かになる。このような解放感と豊かさはそれ自体が外国語学習の強力なモチベーションになる。短い時間でも、毎日あなたができる外国語を使ってみよう。すでに手に入れた解放感や豊かさを失わないために、そして自分の部屋にいながらにして新しい世界に飛び立つために。

僕はなぜ一生外国語を勉強し続けるのか

「どうすればそんなに外国語が上手になるんですか？」

韓国と日本に住んでいたころ、しょっちゅうこんな質問を受けた。そして、その後には決まってこんな質問が続く。

「外国語がぺらぺらになるコツはありますか？」
「韓国語（や日本語）をどうやって勉強したんですか？」
「学生時代から外国語が好きでしたか？」

韓国と日本にそれぞれ13年ほど住む間に、いったい何度聞かれたことかわからない。答えたくないときもあったが、初対面の相手の気持ちも理解できないわけではなかった。そして、どうして僕が外国語と一生を共にすることになったのか思い起こしてみた。

アメリカ人は誰しもが移民の子孫だ。僕や僕の家族もほとんどがそうだ。何世代か前に移民をし、みんな英語を母語としている。僕も英語が母語で、一生、英語だけ使っていても支障なく暮らせたはずだ。にもかかわらず、こんなふうに多くの言語の巡礼者のように生きることになったのは不思議なことではある。

数々の言語を勉強した最大の理由は、何よりも外国語そのものが好きだからだ。単純な理由かもしれないが、未知の言語について発見する過程、それを少しずつ身につけて言葉と文で自由にコミュニケーションすることが本当に楽しい。勉強するほど新しい言語の体系と構造を発見してワクワクするし、学ぶほどにできる表現が増えて、文と言葉を通じて新しい世界に触れられるのも愉快だ。外国語を使っているときは違う自分になったようでもある。まるで舞台の上の演劇俳優のようだと言えなくもない。

一番のお気に入りは発音だ。これは会話とは少し違う。文法や語彙を学ぶのも面白いが、発音の練習が何より楽しい。新しい発音を練習して直接音を出すと、また別の自分と出会ったような気がする。まるで僕が別人になって新世界に立ち、目の前に広がる風景を満喫するみたいな気がする。それによってこれからの人生がさらに豊かになるような感覚がたまらない。そのたびに一種の解放感も感じる。本を読むときも、相手の言葉を理解するときも楽しいが、「カッコよく発音できた！」という瞬間の達成感は言葉では言い尽くせない。

このような解放感と豊かさは僕にとってそれ自体が外国語学習の強力なモチベーションになる。アメリカに住んでいても、毎日短時間でもいくつかの外国語を使う機会を持とうと地道に努力している。すでに味わった解放感と豊かさを失わないためでもあるが、それだけで自分の部屋にいながらにして新しい世界に出会うことができるからだ。

ファウザー流外国語上達のコツ、それは多読

今度はもう一つの「どうすれば外国語が上手になるのか」という質問に対してお答えする番だ。アメリカ人の僕が韓国語で会話したり、ハングルで書かれた文章を読み書きするのを見た多くの人が尋ねる。僕の授業を取っている学生たちからも、数え切れな

いほど聞かれたものだ。そのたびに僕はこう答える。

「学びたい外国語の文章をたくさん読んでください」

そう、多読だ。僕の経験では新しい外国語の学習にこれが一番効果があった。もちろん僕一人の考えというわけではない。

前述したスティーブン・クラッシェンも、読解の重要性、特に自由な多読を強調した。多読も精読も同じ読書だと考えられがちだがまったく違う。多読は精読とは異なり、広く、多く、気軽に読むことだ。関心のある分野、読みたいことをその都度選んで読み、外国語との接触を広げればいい。

中でも「気楽に」読むということが一番重要だ。精読がその内容を深く理解することを目的とするなら、多読は読むことそのもの、それで充分だ。ただ気楽に、楽しく読むことが何よりも大事だ。強いて比較するなら、多読はレジャー、精読は労働のようなものだ。外国語を勉強するためには、一日に一度、とりあえず外国語に接することが重要だが、それがプレッシャーになり、辛くなると、諦めてしまいやすい。それより、ゆっくりと軽い気持ちで遊びのように、頻繁に接する方がずっと役立つというのが、スティーブン・クラッシェンの主張だ。僕もこれの意見に完全同意する。

とは言っても、誰もがそうだというわけではない。本人の性格と外国語を学ぼうとする目的に合った学習法が最も効果的だという点を改めて強調したい。僕のように多くの文章を読んだ方が良い人もいるだろうし、合わない人もいるだろう。それぞれが判断して決めてほしい。

僕が外国語を初めて勉強する人に多読を勧めるのは忙しい大人たちに現実的でぴったりの方法だと思うからでもある。多読といえば、本や新聞を思い浮かべがちだが、別にそれらにこだわる必要はない。僕らは毎日インターネットにアクセスし、スマホを手放さない。映像を見たりもするが、絶えず文章も読んでいる。

また、文法中心の学校授業のトラウマのせいで、読むことそのものが退屈だと思う人もいるかもしれない。でも、僕らには読みたいものをチョイスする「選択権」がある。好きな分野の文章を好きなだけ手に入れることができる世の中だ。興味のある文章を読めば、外国語を勉強するための手段としてだけでなく、新しいことを知る楽しさをも享受することができる。これぞ一石二鳥だ。一日10分でもいいし、30分でもいい。今日は10分、明日は1時間でもいい。逆に昨日は1時間だったのに、今日は10分だったと反省文を書かされることもない。時間を決めてやってもいいし、そうしなくても問題ない。一人で読むも良し、大勢で読むも良し。最近はオンラインで「読書グループ」を作って、同じ文章を一緒に共有しながら読むのが流行っている。さらに、外国語の勉強でなく、自国語で書かれた本を一緒に読む集まりもたくさんある。

自分に合った多読テキストを選ぼう

読みたい文章を選ぶときは難易度に注意が必要だ。難しすぎる文章から始めると、どうしても続かない。最初はごく簡単なものから始めて、少しずつ実力を伸ばしていくのがいい。また、まったく知らない分野よりは、興味と予備知識のある分野の文章を選んだ方がいい。

文章を理解するには予備知識、つまり「スキーマ」の活用が役立つ。これは認知心理学上の理論で、従来知っていた予備知識が新情報を受け入れ、理解する上で役立つというものだ。文章を通して新しい情報に接すると、既存の情報がそれを処理する。処理が成功すれば、新情報は既存情報のように、我々の知識ベースに残ることになる。逆に予備知識がなかったり不十分だと、新情報の処理は一層難しくなり、知識ベースに残る確率はどうしても減ってしまう。

分かりやすい例えを一つ。英語を母語として使う言語学者である僕が、英語の医学論文を読むことを仮定してみよう。英語には慣れているので文字を読むことは支障ないが、内容を理解するのは大変だ。内容を通じて、ある情報を得て記憶することはもっと難しい。予備知識がほとんどないからだ。見知らぬ外国語の文書を読むよりも難しいかもしれない。法曹界で作成された文書を一般人が理解できず、弁護士の助けを受けるのも同じ理由からだ。外国語のテキストならなおさらだ。ということで多読のテキストは何よりも予備知識がある分野、すでにある程度興味のある分野から選ばなければならない。それこそ、外国語テキストを楽しく読むための近道だ。

最初にざっと目を通して、分からない単語がどれだけ出てくるのかをチェックすることも重要だ。どんな文章にも知らない単語は出てくるものだが、知っていることより知らないことの方が多いと、内容を読むより単語を探すのに疲れてしまう。何度もミスが続くと多読をやめたくなる。だからといって、あまりにも簡単な単語だけが出てくるものを選ぶのも考えものだ。実力をつけるのにほとんど役に立たないからだ。自分に合った難易度のテキストを選ぶことからして難しく感じるかもしれないが、実際にやってみるとそうでもないことがすぐ分かる。インターネットの多くの書き込みを見れば、自然と判断力が生まれる。とりあえず自分でやってみよう。簡単そうだと思ったのに、いざ読んでみたら難しかったらどうしよう……。こんな文章は自分に不向きだ。最後までできなかったら……と手をこまねいていてもしょうがない。やり遂げなきゃ！というプレッシャーも投げ捨て、未練も捨てて、自分に合ったレベルの文章を選んでみよう。

大公開！　4か月ぶりに日本の新聞を読んだ20代のロバート・ファウザー

大学に進学して日本語を２年ほど勉強した後、高校時代にホームステイをした日本の家庭で夏休みを過ごしたことがある。その家の息子さんが１年ほどアメリカの僕の家に滞在して親しくなったおかげだった。日本への出発前にその彼からこんな手紙をもらった。

「空港から日本語しか使わないから覚悟しといてね」

僕が日本に到着すると、彼は何か固く決意したかのように日本語しか使わなかった。僕も最初は自信満々だった。大学でも優等生だったし、楽勝だと思っていた。でもいざ始まってみると……あれれ。全然ついていけなかった。彼は僕の鼻っ柱でもへし折ってやるとばかりに、翌日僕を大学で自分が専攻している講義へと連れて行った。経済学の講義だった。日本の大学講義が退屈だという話を聞いてはいたが、あんなに退屈な授業は生まれて初めてだった。黒板の漢字の単語の中にはたまに読めるものも出てきたが、授業内容は一言もまともに聞き取れなかった。ショックを受けた僕は友達に、明日からは君について行かずに一人で勉強すると宣言した。友達の話も、テレビも、大学の授業も、どれひとつ聞き取れなかったせいで、完全に自信を失ってしまった。

結果的に見れば、このときに心を折られた経験が後々大きく役立った。自分に合った学習方法を積極的に探すきっかけになったからだ。まずその家で購読していた「朝日新聞」を熱心に読み始めた。

最初は知らない言葉が圧倒的に多かった。多読の最大の強敵は単語だ。文章を読んで分からない単語が次から次へと出てくるとイライラする。読み進めるにつれて辞めたくなる。でもこれは極めて自然な反応なので、心配する必要はない。

不慣れな日本語の新聞を初めて読み始めたときは、文脈を理解することをあきらめ、まず分からない単語にチェックをしながら、記事を最後まで読み切った。時には苦しくもあったがなんとか最後まで読んだ。よく見ると、文章の中には必ず知らなくてはいけない単語もあるが、中には飛ばしてもいい単語もある。名詞と動詞は内容を理解するために必要なので確認しなければならないが、形容詞や副詞は無視してもいいときがある。特に、文学作品でない場合は、形容詞はほとんど知らなくてもいい。もちろん「とことん」「出てくる単語を残らず」勉強したければ、一生懸命調べればいいが、思い切って辞書を引く過程をスキップしてもいい。

そうやって最後まで読んだ後は、チェックした言葉を辞書で引いた。いくつかの記事を読んでいるうちに、よく出てくる単語が目に入ってきた。それらの単語を別途集めて辞書で調べ、単語帳を作った。予備知識のある分野の文章を読むのをおすすめした理由がここにある。すでに予備知識があれば、文章の中によく出てくる名詞や動詞に、どこかで触れている可能性が高い。おなじみの単語が出てくる文章ほど読みやすいし楽しいものだ。

そうして作った単語帳を横に置いて記事を読むと、さらに理解しやすかった。時間がかかる方法だったが、こんなふうにして1日に記事2、3本読んでいると、頻出単語は自然と覚えられた。読める単語が増えると、だんだん記事を読むスピードが上がっていった。やがて知らない単語が出ても、記事を最後まで読み切ることが苦でなくなった。基本的な単語を多少知っているので、分からない単語が出ても全体の文脈は理解できるようになったわけだ。

単語帳を作って覚えることの効果に気付き、新聞記事によく出てくる単語を集めた単語帳とは別に、関心分野の必須単語を集めた単語帳を作って、どこに行くときも持ち歩いては覚えた。

そうして約4か月後、暗記した単語がだんだん増え、いつの間にか日本の新聞をスイスイ読めるようになった。日本の新聞を読むことが楽になると、欲が出てきた。新聞で村上春樹の関連記事に出会ったのがきっかけとなり、近所の書店で『1973年のピンボール』を買った。小説は会話文が多くて読みやすい点もあるが、形容詞など独特の表現が多く、集中して読むのに苦労した。このときもやはり新聞と同じ方法を使った。そうして読み終えた時の達成感はとても言い表せないものだった。

一人の時間を過ごす昼には読書に集中していた一方で、友達が学校から帰ってきてからは会話に集中した。「日本語オンリー」と頑なに主張する彼のおかげで日本語で話すことにもだんだん慣れて、友達の友達にまで会うことが多くなり、いつの間にか話すことにもだんだん慣れていった。誰かと言葉を交わすためには、互いに関心のある分野の単語を知らなければならない。彼も、その友達も経済学が専攻だった。自然と当時のアメリカと日本の貿易摩擦が話題に上がったりしたが、「輸入」「輸出」「貿易」「為替」といった単語は基本中の基本だった。言い慣れるまで何度も繰り返し暗記した。新聞記事で単語を身につけたことが役に立っただけでなく、「言い慣れるまで」練習したところ、テレビのニュースで関連単語が出てきたときに自然と全体の脈絡を把握することができるようになった。ただし、日本国内の政治ニュースには最後までなじめなかった。何よりも数え切れないほど登場する人の名前を聞き取ることが難しかったからだが、その分野には関心が高くなかったのであまり不便を感じることはなかった。

僕は何も自分流の学習法が効果的だと言っているわけではない。ましてや自分のことを自慢したいわけでもない。僕が言いたいのは、与えられた環境で自分なりの学習法を見つけて、読解と会話、聴解などを身につけ、自ら学習法を探して勉強した経験こそ、将来他の外国語を学ぶときに自分なりの学習法を探してマスターするための糧になってくれたということだ。

成功体験こそ自信の源

誰にでも合う学習法というものが果たして存在するのだろうか。それは、初めから実現不可能な仮説かもしれない。一つの外国語をマスターした学習法が、他の外国語にも同じように有効だという保障はない。

確かなことは、一人ひとりが自分に合った学習法を見つけ、成功した経験こそが新しい外国語を学ぶときに唯一の自信の源になるという点だ。

1980年代末、高麗大学の英語教育科で教えた中には、当時韓国に駐屯していた米軍に配属された韓国軍人、いわゆる「カトゥサ部隊〔KATUSA: Korean Augmentation Troops to the United States Army〕」として服務中の学生もいたが、教授や留学経験のある学生より英語が流暢なことも珍しくなかった。

彼らはもちろん自身の英語力に自信を持っていたが、除隊後も英語を忘れないように地道に努力していた。『タイム』を利用した勉強会をしていた学生たちもいた。まず自分たちで記事を選んで、それぞれの記事の担当部分を決めて事前に読んできて、一緒に集まって韓国語に翻訳していた。時に誰も分からない表現などがあると僕の研究室を訪ねてきて質問したが、その内容はたいてい前もって学ぶことができない、アメリカ文化の特徴や背景に関するものだった。インターネットがなかった時代なので、当時は韓国でアメリカの具体的な文化的背景を理解することが難しく、主要人物に対する情報もほとんどなかったため当然のことだった。彼らはモチベーションが高く、一緒に勉強することを楽しんだため、担当部分を誠実に準備してきたし、内容についてもより深く理解することができた。

しかし、このような方法が必ずしも良い学習法だとは限らない。当時の韓国全体における英語教育、つまり大学入試で学生たちが経験した学習法の主流を占めていたのは「翻訳」だった。彼らは、自分たちにとって最もなじみ深い学習法である「翻訳」こそ、最も効果的な学習法だと思っているようだった。その頃の僕はまだひよっこ先生に過ぎなかったが、最初は彼らに他の学習法もあるという事を教えてあげたかった。しかし、すぐ考え直した。どんな学習法でも、学習者自身が選択した学習法を尊重することが重要だと考えたからだ。僕の役目はあくまでも傍で見守ることだと思っていたのだが、そのときの判断は間違っていなかったと思う。自分なりの学習法を作って勉強しそこで成功体験を得れば、他の状況になっても自分だけのはるかに効果的な学習法を作っていけるということが分かったからだ。

単語、外国語学習成功のための最強武器

　ここで強調しておきたいことがある。単語に関する話だ。どんな学習法をもってしても単語を調べ暗記するのはとても退屈で辛い。しかし、単語の暗記はあなたが想像するよりはるかに重要だ。知っている単語が多ければ多いほど、外国語の理解に自信がつく。特に、成人学習者であればあるほど、TPOに合った敬語や関連語彙、上級単語をたくさん知っておく必要がある。使う語彙のレベルにその人の年輪と知識が滲み出すのは、母語はもちろん外国語の世界でも同じだ。

　一時期学校など教育現場では、文法を中心に教育し、その代わりに暗記する単語の数を限定していた。学習者のニーズに合った授業を目指す「コミュニカティブアプローチ教授法」の施行後も、単語より豊富な表現方法を教えることを重視した。例えば、学校では文法と表現方式を学び、単語は学習者まかせというやり方だ。これは、絶対にお勧めしたくない学習法だ。外国語を自由自在に使うためには語彙力を増やすことが何より大事だ。ではどうすれば？　ここでもやっぱり多読だ。多読こそが語彙力を高めるのに最高の学習法だ。

「自分たちの学生時代は英語の辞書を１ページずつ暗記しては破って食べたもんだ」

韓国の中年世代お決まりの武勇談だ。まあもちろん、その方法も悪くないが、単語だけを繰り返し暗記するよりは、文章の中の脈絡と一緒に単語の意味を理解する方がずっと記憶に残り、使えるようになる。僕も日本の新聞を初めて読んだとき、脈絡なく単語だけ覚えていたなら、短期間にあれほど早く日本の新聞を読めるようにはなれなかっただろう。文脈の中の頻出単語に出会って、自然に暗記したおかげで、効果的に読み書きの実力を身につけることができた。

僕が勉強していた時代を思い浮かべると、今日は本当に勉強するのに良い世の中になった。以前は単語を探すたびに紙の辞書を引かなければならなかった。使い込んで真っ黒に手垢の付いた紙の辞書はそれ自体が達成感の塊であり、誇りでもあった。でも、もうそんな時代じゃない。ポータルサイトは入力した瞬間に最新の辞書の検索結果を目の前に表示してくれる。新機能を搭載したさまざまな辞書アプリがよりどりみどりだ。単語をクリックすれば正確な発音もわかる。自分がどんな単語を引いたのか記録も残る。単語を一つ入力したら、他の外国語の類義語まで一緒に出てくる。もはや僕らがすべきことは一つだ。自分が使いやすいと思うインターフェースと機能を備えたウェブサイトやアプリを見つけることだ。そして、暇を見つけては一生懸命単語を調べて語彙力を増やしていこう。

語彙力だけで読み書きの役に立つ？

「多読で語彙力を増やせば会話や作文にも役立ちますか？」

この辺でこんな質問が出そうだ。韓国人をはじめとする非英語圏の中高年の方々は、自分たちは文法中心の英語を学んだおかげで、実際に西洋人に会うと一言も話せないと嘆く。テキスト中心の学習法のせいで、会話をまともに学べなかったというのだ。

中高年層が学校で学んだ外国語はテキスト中心だった。英語ひとつ例に取っても話す言語というより読む言語に近かった。それもそのはず、日常生活で外国人に実際に出会うことはほとんどなかったし、制度的にも大学入試では文法を熟知して、テキストをよく読めれば十分な時代だった。生徒たちはもちろん、教師たちも読解に力を注ぎ、英会話が得意な教師はほとんどいないというのが非英語圏国家の現実だった。だから教室の現場では会話の訓練はほとんど行われなかった。

でも世の中は変わった。「会話教育の不在」という英語教育の問題を解決するために、1990年代半ば頃からそれまでの英語教育に改革の風が吹き始めた。小学生に対する英語教育が始まり、大学進学試験にはリスニング試験が取り入れられた。英語教育はまさに会話中心、すなわち実用的な方向に急転換した。流暢に話せるようにするために、我が子を海外に送る親たちが急増した。特に、ホワイトカラー層が集中的に子供を海外に送り出したが、子の面倒を見るために母親までついて行くケースが多く、一人残された韓国で「渡り鳥パパ（기러기 아빠）〔家族と離れて暮らしながら、生活費や学費のために働く父親〕」という自虐的な流行語まで登場した。また、多くの学生が高校卒業後に韓国ではなく英語圏の大学に入学した。

その結果、今日では英語が堪能な韓国人が急増した。1980年代半ば韓国に初めて来たときは、道端で英語で道を聞くことすら考えられなかった。声をかけようとしても相手は警戒して避けようとする気配に満ちていた。しかし今は違う。どこに行っても英語が上手な人々に出会うことができる。

英語が上手だというのはどういう意味だろうか。僕の基準ではやはり語彙力だ。英語が上手になるためには何よりも語彙力が大事だ。

言い換えれば、英語ネイティブである僕の目には、ある人の英語力を測る基準は、その人が使う語彙のレベルにかかっている。イントネーションに韓国式の発音が混ざっているからといって、コミュニケーションに支障をきたすことはまずない。でも、語彙力が足りなければ、残念ながらその人が伝えようとする意味をまともに理解することができず、専門的な討論の席で初歩的な単語の使い回しに終始しているとすれば、その人をして流暢な英語の使い手と言うのはためらわれる。

語彙力は当然ながら作文にも影響を及ぼす。自分の考えをうまく伝えられるという自信が生まれると、外国語を使う機会をもっと求めるようになる。考えを伝える方法は、会話だけに限らない。昔は外国語で文章を書くのは一般の人とっては非常に稀なことだった。勉強のかたわら世界の友達と付き合うために文通をすることもあったが、ごく一部の話に過ぎない。でも今はSNSで世界の誰とでもコミュニケーションできる時代だ。自分が希望する言語圏の外国語で短い文章をアップすれば、すぐさまその言語圏の誰かから回答が来る。このときも語彙力の効果は絶大だ。短い文章でも書く機会があるたびに語彙力は豊かになり、自信がつき、誇らしい気持ちになれる。まずチャレンジして、さらに上手になるためにもっと練習する。もっと練習すればまたうまくなる。当たり前の流れだ。このような自信の根底には語彙力がある。文法が「外国語の骨」なら、語彙は「外国語の肉」だ。

しかし、残念ながら現実は外国語学習の過程で語彙の重要性は依然としてサブ的なものと考えられている。私が高校時代に学んだスペイン語の教科書は、会話文の下に単語があって、その横に英語で意味が書かれていた。先生は単語の部分をさっと説明し、すぐ各課の重要文法の内容の説明に入った。

のちに鹿児島大学で韓国語を教えたときに使われた教材も非常に似た構成だった。会話文の下に重要単語リストがあり、横に日本語訳があり、文法説明が続く。ただ、僕は学生たちに発音が難しい単語を充分に練習させ、リストのすべての単語が試験に出る可能性があるから頑張って暗記することを強調した後、文法説明に移ったのが違いといえば違いだった。

外国語の教科書のこのような一般的な構成は、学習者にややもすると外国語学習における語彙学習を二次的なものと認識させる恐れがある。大事なことだから何度も言うが、外国語が上手になりたいなら何よりも語彙力を高めるために努力しなければならない。

K-POPの影響で韓国語を学ぼうとする外国人を考えてみよう。彼らは教科書に出てくる一般的な会話文より「エギョ＝ぶりっこ(애교)」「オッパ＝お兄さん（오빠)」「カンナム＝江南（강남)」といった単語を共有することで繋がっている。彼らを2000年代に鹿児島大学で使った韓国語の教科書で勉強させたらどうなるだろうか。半分以上が退屈して興味を失ってしまう可能性が高い。彼らにとっては、新しい情報を習得することと同じくらい自分が表現したいことを効果的に伝えることが、韓国語を学ぶより大きな目的になるからだ。

そのような面から見ると、外国語学習は外部の情報を自分の中に受け入れるための手段であると同時に、自分の考えと感情を外に表出するための手段としてその役割が拡大していると言える。だからこれから僕らは自分が表現しようとするものを中心に外国語を学習する時代、いわゆる学習の主導権を自分が握るという転換が必要な時代を生きているわけだ。そこでは語彙力こそが、何よりも先に習得しなければならない最強の武器だ。

いくら強調しても しすぎることのない多読の長所

語彙力の重要性と共に多読についても話したが、多読の長所は単に語彙力を増やすことではない。何より、自分の日常生活の中で無理なく一人でできるという点がいい。考えてみれば当たり前のことだ。会話には相手が必要だ。一生懸命練習したくても限界がある。でも、読解には限界がない。いつでもどこでも好きなだけ集中して勉強できる。

このように優れた長所にもかかわらず、韓国の教育現場はもちろん、成人の外国語学習の方式で読解が占める割合は極めて低い。生徒たちの教科書のテキストは短く、読むことに関する宿題はほとんどない。日本の大学入学共通テストに当たる大学修学能力試験（修能）に出題される読解問題は、ほとんどが多読より精読に焦点を合わせている。主に出題されるのは文法の理解能力をチェックする問題だ。成人が通う教室も同じく多くが会話中心だ。読解の重要性を強調する雰囲気ではないため、別途時間を割いて勉強する必要性を感じる人は少ない。学生時代はもちろん、大人になっても読解に関してはまともに習ったことがほとんどない。「近い国」日本も状況は似たり寄ったりだ。

非英語圏の国が多いヨーロッパの雰囲気はまったく違う。ヨーロッパのたいていの国の第１外国語は英語だ。早ければ小学校、または中学校の時から英語を学ぶ。必須科目に指定されていない地域もあるが、大多数の学生は英語を学んでいる。

ヨーロッパを旅行する外国人は、ヨーロッパ人の平均的な英語力に驚く。年齢や教育水準によって差はあるものの、どんな非英語圏の大陸よりヨーロッパ人の平均英語力が高いということは否定できない。

1993年、僕は韓国を離れアイルランドで応用言語学博士課程の勉強を始めた。僕が住むことになった大学院生の寮には、ほかにも16人の留学生がいた。彼らとの意思疎通は主に英語で行われた。いろいろな国から来た友達と親しくなるにつれ自然と英語の勉強をどのようにしたのかについて話を交わしたりした。みな言語学を専攻していたので、共通の関心事でもあった。

デンマーク、オランダ、スウェーデンから来た友達は、「高校まで読解の課題をずっとさせられた」と話した。授業は主に英語で進められるが、むしろ学校ではなく映画やテレビドラマに助けられ、旅行でさらにブラッシュアップできたという。韓国では外国の映画やテレビドラマにハングル字幕が付いているのが普通である。だが、彼らは子どもの頃から、母語字幕なしに英語で見聞きしていたという。「母語字幕がないので、さらに集中して見るようになって、映画やドラマの中の主人公たちの英語の会話が、いつの間にか聞き取れるようになった」と話した。大学進学後、英語の原書を読むことが日常になったが、幼い頃から読解訓練ができているので大して苦労せず読めるのはもちろん、英語は他国の言語というより日常生活でよく使われる言語の一つとして自然に使っているという。彼らとの会話は終始一貫して楽しく愉快だった。短期の旅行をしただけで、英語圏の国で長く過ごしたこともほとんどなかったというが、豊富な語彙力を持つ彼らとは、どんな話をしても違和感をほとんど感じなかった。そのうえ同じような分野の学問を勉強しているという共通点があったのだから、彼らと一緒に過ごした大学院時代は思い出すだけでも楽しい。

大学院の友人の経験談からも分かるように、ヨーロッパで英語の授業はほぼ英語で行われるが、レベルごとに読解の比重を高めていくのが特徴だ。学年が上がるにつれて翻訳課題が増え、また多読が強調される。英米文学は欠かすことができないが、特にドイツではシェークスピアの原文を読む割合が授業時間の約15%に達する。このような文学作品は、難易度と分量の面で精読と多読の同時学習が可能だ。英語力向上のための教育課程としても読解は意味があるが、知識と教養を積む上でも役立つということをヨーロッパの人々はいち早く悟ったようだ。だからといって、彼らが英語の実用性を無視したわけではない。むしろ幅広い読解訓練を通じて実用性と教養増進という一石二鳥効果を狙ったと見るのが正確だろう。

発音って本当にそんなに重要？

さて、ではここで指摘しよう。韓国人は外国語を学ぶとき、特に発音に神経を使う。多くの韓国人に英語が流暢に話せるとはどういう意味かと聞くと、「発音が良いこと」という答えが返ってくる。実際、発音がネイティブのようにできるという理由で、ソウルの江南に住む子どもたちに、親が舌の手術をさせるという記事を見て驚いたものだ。外国語の発音ってそんなに重要なのか。僕はそうは思わない。英語の発音が流暢なのに越したことはないが、何の問題もない子どもたちの舌を手術してまで上手くなければならないほど絶対的なことでもない。僕も外国語を学ぶとき、発音に気を使う方だが、それは新しい発音を身につけるのが大好きだからであって、それで外国語の実力の優劣を判断するためではない。

2000年代半ば、日本の大学に在籍していたころ、外国語のオンライン教育について研究したことがある。注目されていた分野だったため、関連する国際学術大会は世界各国でかなり多く開かれ、私も数回研究結果を発表した。日本で開かれた学会にも世界中の多くの学者が参加した。日本の学者はもちろん、非英語圏の学者も多かった。会場ではそれぞれ自国語のイントネーションとニュアンスが混ざった英語を使っていたが、そのような発音でもコミュニケーションにはまったく問題がなかっただけでなく、誰も嫌な顔一つ見せなかった。対話の内容に集中こそすれ、発音はさして大きな問題ではなかった。

発音を重視する雰囲気は韓国や日本のように一つの言語が主に話されている国家に顕著だ。多言語国家または移民が多い国では発音に対する認識がずいぶん違う。むろん会話をするとき、発音が障害になるぐらいなら困るが、ネイティブと同じようにしようと努力する必要はない。さらに、成人後に外国語を学ぶときは、お互いのコミュニケーションの邪魔にならない程度に発音できれば十分だ。むしろネイティブとは少し違うイントネーションと発音が自分のアイデンティティを表すのに役に立つことだってある。

それでも、せっかくなら正確で聞きとりやすい発音をマスターしたいというなら、方法はいくらでもある。これも技術の進歩のおかげだ。ここ数年、オンライン辞書の発音は、数段跳びの進化を遂げたような成果を上げている。人が録音したものを組み合わせる方式から人工音に変わったのはもうずいぶん前のことだ。最初の頃は人工音が精巧でないため、イライラさせられることが多かった。今は違う。人工的という感じはほとんどしない。ほとんどネイティブの発音のように自然だ。

本文を丸ごと読み上げる技術も登場した。辞書ほど自然ではないが、発音練習をするには十分だ。本文を読んでくれるので、発音だけでなくイントネーションと連音の処理まで同時に身につけることができる。英語はもちろん、韓国語、日本語、中国語をはじめとするヨーロッパの主要言語もかなり自然である。テキストを読む自分の声を録音して聞ける機能も一般化された。本人の発音とAIの発音を瞬時に比較して直すべき部分を確認できるようにもなったのだ。以前はすべて教師の指導頼みだったことだ。絶対ネイティブスピーカーのように完璧に発音してやろうという無理な欲さえ捨てれば、今や外国語の発音もAIの発展のおかげで簡単に身につけることができるようになった。

10

誰もが一度は考えたこと。
外国語を学ぶには
年を取りすぎたのでは？

では、高齢の学習者はどうすればいいのか。年だからと外国語学習をあきらめなければならないのか。いや、僕らには希望がある。希望って？　今は人生100歳時代だ。言い換えればつまり老人たちの時代だ。以前は、50代から何かを学ぶことはめったになかった。現在、50代を老人と考える人はだれもいない。外国語学習だって例外じゃない。

年齢と外国語の関係？
正しくもあり、正しくもなし

「その年で外国語を？　そんなことできるだろうか？」

大人が外国語学習を始めると言うと、返ってくるお決まりの反応だ。始めもしないうちに出鼻をくじかれるようだ。外国語の学習と年齢の相関関係は長年の論争の種だ。ここではネイティブスピーカーという概念が常連客のように登場する。要するに、思春期以前には人間の言語学習機能は非常に活発に作動するが、思春期を過ぎるとこの機能は徐々に衰退し、新たに習得する言語をネイティブのように駆使することは決してできないというのだ。

この議論は今や定説のようになっている。極めて流暢なレベルまでは行くことができるが、ネイティブスピーカーのようにはなれない、ネイティブスピーカーのように文法を自然に使うことができず、発音はいくら努力しても差が出るというのだ。これは「臨界期仮説（critical period hypothesis）」と呼ばれる。多くの人々がこの理論に納得し、1980年代から多くの国が外国語早期教育を導入し始めた。韓国でも1996年から小学生の英語教育が始まった。つまり、学ぶのが早ければ早いほど上手になれるとい

う期待からだった。ただそれに反対する理論も負けてはいなかった。外国語習得の結果が思春期を境に変わることは認めるが、全般的な言語能力を身につけるうえで年齢がそれほど重要な要因ではないという主張だ。非ネイティブスピーカーで、思春期以降に学習を始めても、ネイティブスピーカーの語彙を地道に学び、読解や作文の努力を続けていけば「学力の低いネイティブスピーカー」よりむしろ該当言語をうまく使えるという主張だ。同時に彼らは発音と表現がネイティブと違うということはそれほど重要ではないとも言う。

アメリカやカナダのように高学歴の移民が多い国で英語を外国語として学んだ人々が、多くの専門分野で活動し社会の発展に貢献していることを見ると、この主張は非常に説得力がある。実際、北米とヨーロッパでは非英語圏国家出身の成人移民のための言語教育が活発だ。移民にとって移民先の国家の言語は、もはや「外国語」ではない。生きていかなければならない国の国語や公用語は彼らにとって「第２言語」だ。彼らに対する第２言語教育は、受け入れ国の既存の教育制度や機関と深く関係しているものである。アメリカの場合、第２言語教育で行われる英語の授業は、全国のほぼすべての２年制短期大学（コミュニティカレッジ）として制度化されている。短期大学は働きながら通うことができるので、受講生のうち成人の割合がはるかに多い。短期大学の他にも４年制大学の生涯教育センター、地域教育庁、民間団体、宗教団体などさまざまな機関で多様な形態で授業が進められている。第２言語だけではない。アメリカでも外国語の授業は活発に行われている。一般大学の生涯教育センターはもちろん、短期大学などが主な舞台だが、中でもスペイン語とフランス語の需要は高い。

ヨーロッパやカナダでも第２言語教育は公教育機関を中心に行われているが、民間団体や宗教団体でも授業が提供されている。韓国でも2000年代末から実施されている「結婚移民のための韓国語授業」は政府支援を受けた自治体が提供しているが、これも

第1次世界大戦中、ロシア語を学ぶドイツの看護師たち。アメリカ国会図書館所蔵

メイフラワーホテルの職員にスペイン語を教えている風景。アメリカ国会図書館所蔵

国連とユネスコの支援によってマダカスカルで行われている英語授業の風景。後ろに言語実習装置が見える。ユネスコアーカイブス所蔵

1920年代　成人学習者対象の英語授業の案内ポスター。ニューヨーク公立図書館アーカイブス所蔵

成人学習者を対象にしているという点で注目に値する。

もちろん移民と一般成人学習者の言語的状況は大きく異なる。しかし、忙しい日常生活の中で新しい言語を学んでいかなければならないということは共通している。つまり、成人学習者向けの多くの言語教育の前提は、「今からでも学習すれば、日常生活に困らないぐらいの言語生活ができる」ということである。このような脈絡からすれば、外国語を学習する年齢の境界が必ずしも思春期にあるとは言えない。

そうかといって、どんな年代でも外国語学習を始めるのに問題ないという手放しの楽観論を展開しようとしているわけではない。2000年代に入り、脳の能力の発達が20代中盤まで続くという理論が注目を集めた。思春期ではなく20代中盤まで「希望」が延

長されたわけだ。海外留学帰りの韓国人を見ればすぐ分かる。幼い頃でなくても、学部時代すなわち20代初めに留学した人と、大学院時代すなわち20代後半に留学した人の外国語の実力の差は驚くほどだ。20代前半～中盤でスタートすれば、20代中盤～後半の年齢よりも簡単に外国語を学ぶことができる。脳能力の発達が20代中盤まで持続するという理論は、言い換えれば20代中盤以降は脳の動きが鈍化し、新しいことを学ぶに当たってさらなる努力が必要だという意味でもある。すなわち、年齢による限界は確かに存在するという意味だ。これはどうしても否定できない。

年齢の高さが外国語学習の障壁であることをひとまず前提として受け入れなければならない。脳の機能だけの問題ではない。一般的に20代後半から30～40代になると、社会や家庭において気を使わざるをえないことが多くなる。学生時代のように勉強のみに集中しにくい条件であるうえ、自分の記憶力の低下を感じることで自信も急激に低下する。

50代に入れば状況はさらに複雑だ。新しい情報を受け入れると、私たちの脳はそれを理解するためにすでに知っている知識のデータベースを作動させる。言い換えれば、知識データと関連のある情報なら迅速に受け入れるが、知識データと関連がなければ、新たに入ってくる情報を処理することが困難になる。年を取るほど知識データは大きくなるが、脳のストレージには限界があるため、新しく入ってきた情報と関係のない知識データの情報は勝手に削除される。人が年を取るほど何かをしきりに忘れるのは、不必要な知識データの情報が削除されたためだ。

新しい外国語を学ぶことも知識データと関係がある。すでに知っている言語を学び直せば、脳は自分の知識データを活用して新しい情報をたやすく処理することができる。まったく新しい外国語を習うときは、知識データの情報がないため新しい情報を処理することは難しい。中高年以降の韓国人の多くは、学生時代に英語を学んだ記憶がある。卒業後、英語を使わなければ、知識データの中の英語はほとんど消去されてしまっている。そのため、英語はもちろん英語と似たスペイン語やドイツ語などを学ぶのに苦労する。韓国人は一例に過ぎない。全世界の多くの中高年学習者が似たような悩みを抱えている。

高齢化とグローバリゼーションのサプライズプレゼント

では、高齢の成人学習者はどうすればいいのか。年齢という壁のせいで外国語学習をあきらめなければならないのか。もしそうなら僕がこんな本を書く理由がない。僕らには希望がある。希望？　そう、世の中が変わりつつあるという希望だ。どんな面で？　世界はすでに韓国の未来を高齢化社会と前提している。「人生100歳時代」という言葉はつまり、老人たちの時代という意味でもある。韓国社会は高齢化にいち早く突入した。以前は50代になってから何か新しいことを学ぶこと自体稀だった。現在、50代を老人と考える人はだれもいない。外国語学習だって例外じゃない。

もちろん、外国語研究のほとんどは学校での外国語教育に集中している。世界的に見ても、ほとんどの国の学生は少なくとも一つ以上の外国語を学んでいる。個人の知的能力の向上はもちろん、社会における一般市民としての資質を備えるために国がベストを尽くして教えているわけだ。彼らの未来こそ国家の未来であり、どうすれば彼らにより効率的に外国語を教えられるかをめぐり、多くの研究が進められている。僕らの学生時代も同じだった。そうして学校を卒業した後、外国語は次第に私たちの日常から消えていった。これ以上学ぶ必要もモチベーションもないと思っていた。だが、世の中はまた変化している。

20世紀後半に入り、急速にグローバル化が進んだ。先進国の若者らが大学を卒業した後、世界のいたるところにその生活基盤を広げ始めた。21世紀に入ってからは、中国をはじめとする発展途上国の生活水準と若者の教育水準が共に上昇した。生まれた国で大学を卒業し、就職し、食べていくことだけを考えていた旧世代とは違い、新世代は全世界を歩き回り始め、これによってさまざまな知的要求が社会全般に広がった。そのように成長した大人たちの間で新しい流行のように登場したのが、外国語学習に対する関心だ。成績、就職、昇進、業務のために無理に勉強しなければならなかった外国語ではない。実用性とは程遠い趣味や、遊びや、旅行を楽しむための手段として、読みたい本を読むための知的刺激のツールとして、外国語をめぐるあらゆるニーズが登場している。大半はグローバル言語の英語に目を向けるが、その他の言語に対する関心もますます高まっている。そう、成人外国語時代なのだ。すでに僕らは成人外国語時代に生きていて、外国語を学ぼうとする成人たちの意志は日に日に高まっている。

成人の基準は年齢ではない。自律性だ

成人の定義とは何か。前述した脳の発達と大学教育以降の時期を考えると、外国語学習における成人は20代後半からだ。してみると、成人学習者の範囲は非常に広くて深い。

社会に出たばかりの若者から、引退したお年寄りまでみんな成人だ。彼らの間にどのような共通点があるだろうか。そもそも共通点なんてあるだろうか。もちろんある。それも非常に根本的で重要な共通点がだ。

「成人は学校教育が終わっている人たちだ」

もちろん、依然としてさまざまな形で教育を受けている人も多い。だが、一部を除いて成人の範囲に入っている人々は通常、正規の教育課程をすべて終えている。会社員、主婦、フリーランス、

経営者、隠居暮らしなど、各自の状況はそれぞれ異なるだろうが、学校の教室で外国語を学ぶことがほとんどないというのは非常に重要な共通点だ。この共通点をこれほど強調する理由は何だろうか。

それは自律性のためだ。成人学習者の外国語学習の特徴は、自律性だ。学校で外国語を習ったときとはまったく違う。多くの韓国人にとって初めて出会った外国語は、ほとんどの場合、英語だ。人生初の外国語である英語は、世界中で使われている言語というより、足元の火種のように今すぐに何とかしなくてはいけない課題だった。学校で良い成績を取るために勉強しなければならない科目であり、良い職場を得るための一種の資格要件であり、就職後には昇進のためにパスしなければならない関門だった。

個人の関心や意志で「選択」する対象ではなく、必ずしなければならない「義務」の対象である場合がはるかに多かった。誰であれ韓国の大人たちに質問してみればすぐ分かる。

「英語をやりたくて始めましたか？」

「はい」と答える人がどれほどいるだろう。ほとんどの人は学校の教科書を通じて初めてアルファベットに出会ったはずだ。韓国だけではない。英語を母語としない多くの国の事情はほとんどこんな感じだ。もう少し話を広げるとすれば、必ずしも英語に限った事情というわけでもない。外国語の多くはたいてい、楽しい選択肢というよりも果たすべき苦行である。このような現実の中では、ある個人が外国語学習を完全に個人の意志で、意味を自ら求め、つまり自律性に基づいて始める可能性は低い。スタートラインからプレッシャーに押しつぶされそうな表情で立っていなければならない。

では、そうして始まった外国語の勉強は楽しいだろうか？　もしかしたら僕らは勉強が楽しい、勉強も楽しいという考えをほとんどしないまま年を取ってきたのかも知れない。しかも自分で選んだわけでもないのに、義務的にやらされる外国語の勉強だなんて！

「そんな勉強、楽しいわけないじゃないか！」

異議の声が聞こえてきそうだ。外国語を学ぶことは誰にとっても簡単なことではない。だが、ここに自律性というフィルターを使ったらどうだろうか。すると今までとは印象が少し変わってくる。

自律的に勉強するということは、自ら目的を定め、その目的を達成するために段階的な目標を立て、それに合わせて学習していくことだ。学生時代の僕らには自らが決めた目的と目標などなかった。すでに教育課程によって設定された目標が決まっており、ひたすらそれに従わなければならなかった。

しかし、成人となれば話は別だ。今、僕らは自ら目的を定めて、段階的な目標を決めることができる。これが何を意味するのか？今までの嫌な記憶は忘れていいということだ。つまり、今までとは違って外国語学習が成功する可能性がぐんと高くなったという意味だ。

11

成人学習者には
成人学習者のための
外国語学習目的が必要だ

「頑張るぞ！」と気負いすぎてしまうより、自信を持って気楽にやろうという気持ちが、外国語学習を長続きさせる秘訣だ。成人学習者こそ外国語に接するときはこうでなければならない。自分が必要なだけ、楽しくリラックスしてやること。それまでは、趣味や遊びのように地道に学んでいくこと。

肝心なのは効率ではなく気持ちだ

先の章で、僕らの前には「自律性」という聞きなれない、しかし魅力的な可能性が開かれていることを確認した。では、僕らは各自の外国語学習の目的をどうやって決めればいいのだろうか。とても簡単な質問のようでいて、なかなか難しい。外国語学習の目的を決めるためには、自分の心と頭の声に耳を傾けなくてはならない。ちょっと気取った言い方をしたが、簡単に言えばこんな意味だ。

「心では感情を、頭では論理を見つめよう」

頭と心は時に衝突することもあるが、陰陽のように常に一つに混ざり合っているものだ。どちらのほうがより重要だとも言えない。多くの成人学習者は外国語を勉強しなければならない理由を論理的に羅列しがちだ。必要な費用と時間を計算して、ちょっとでも効率性を高めようとする。しかし、ほとんどは失敗に終わる。心を考慮しなかったからだ。

例えばこういうことだ。昇進のために英語の試験勉強をしなければならない。高い点数を取るほどいい。一日に数時間ずつ、英語教室に通いながら、「一生懸命勉強するぞ！」と拳を握りしめる。頭では文句のつけどころもない計画を立てる。しかし、心は気付くことができない。自分が英語の勉強をどれだけ嫌っているのか、これまでの失敗続きの日々がどれほど大変だったか、そこからわざと目を背ける。だから、毎日教室に通っても集中できない。実は一生懸命でないのに、人の目には一生懸命なように見えるので、自分でも一生懸命なんだと錯覚してしまう。これでテストを受けて希望通りの結果でも出ようものなら、もう英語の勉強はストップしてしまうだろう。これ以上やっていくだけの興味も、意志も、考えもない。もし望む結果が得られなかったとしたら、この「退屈な」勉強は振り出しに戻る。

成人の外国語学習はこのようなやり方では長続きしない。僕らにとって外国語は趣味であり遊びであり、友人のような存在でなければならない。そのためには、目的の立て方から変えなくてはいけない。頭と心のバランスが大切だ。他人の評価や視線ではなく、自分を中心に置くことがまず必要だ。そのようにもう少し長い目で見れば外国語学習はその場しのぎの手段ではなく、一生の財産になってくれる。「やりがい」という財産だ。

やりがいはそれ自体が目的であり、強力なモチベーションになる。やりがいを感じるために避けるべきことがある。他の人との比較だ。誰と比べて上手下手ではなく、昨日の自分より今日の自分が進歩したということに楽しさを感じなければならない。

「頑張るぞ！」と気負いすぎてしまうより、自信を持って気楽にやろうという気持ちが、外国語学習を長続きさせる秘訣だ。自分がまず、外国語で読み書きする自分、外国語で話したり聞いたりする自分と気楽に付き合えば、それだけでも十分だ。発音が悪かろうが、文法でミスをしようがまったく問題ない。

外国語に接する望ましい態度、
遊びのように友達のように趣味のように

アメリカでもBTSは大人気だ。メディアでも彼らの活動の様子をよく目にする。インタビューやPR映像などで話をするのは主にリーダーのRMで、他のメンバーは簡単な挨拶や冗談だけのときがしばしばある。彼らの英語は一様に個性が強い。アメリカ生まれのネイティブスピーカーのようでもなく、韓国式の発音でもない。短い文章や、いくつかの単語を書いたり、韓国語で話したりする。笑いのセンスやジェスチャーも実に洗練されている。それより前にK-POPのパイオニア的存在となっていたPSYは、インタビューでとても流暢な英語を操った。しかしBTSの英語を聞いていると、まるでK-POPの言葉の愉快なショーを見ているようだ。

PSYはアメリカ留学組だから英語が上手なのもまあ当然だ。英語を流暢に話す彼の表情からは、時には自信すら感じられる。BTSのメンバーは誰も海外留学の経験がないという。RMも韓国で英語を学んだらしい。しかし、彼の態度のどこからも、自分の英語を恥ずかしがったり、もっと上手になろうともがく姿は見られない。彼らの活動の中心は音楽とダンスだから、流暢な英語で話すことはそれほど重視していないようにも見える。

これこそ、成人学習者が外国語に接するときにあるべき態度ではないかと思う。自分に必要なだけ、楽しくリラックスしてやること。それまでは、趣味や遊びのように地道に学んでいくこと。

このようなケースは最近よく見かける。新型コロナウイルスが世界を襲う直前の2020年１月にニューヨークのメトロポリタン美術館を訪れた。京都に関する展示を見るためだった。ちょうど日本人学芸員が観覧客の前で作品について説明していた。彼の英語はもちろん流暢だったが、日本式の発音と表現が強く滲んでいた。しかし、誰もネイティブの英語とは異なる彼の英語を聞いて笑ったり指摘したりしなかった。彼が自分の展示について一生懸命に説明してくれたおかげで、作品を理解する上で大きく役立った。もちろん、彼の英語力はとても優れていたし、そのくらいの実力になるまで一生懸命努力をしたはずだ。でも僕は彼の英語力より英語を使う彼の態度が印象的だった。頑張ろうと努力するのではなく、自分のレベルで楽しく英語を使う自信に満ちた表情から、遠い昔に梨泰院（イテウォン）で会った韓国人店員の顔が思い出された。

1983年から約１年間、ソウル大学で韓国語を勉強していたときだった。最初は韓国語がほとんど分からなかったので英語を使うことが多かった。当時、韓国人が学校で学んだ英語は文法と読解が中心だった。それに海外旅行もままならず、普通の韓国人は英語で話す外国人に会う機会がほとんどなかった。そのため、英語で会話ができる人はほとんどいなかった。大学で会った学生たちとも英語で話すのはかなり大変だった。彼らの多くは、僕と会話をするときに気まずそうにしたり自信がないように見えたものだ。僕の言うことが聞き取れなかったのに、聞き取れたように話されて、僕の方がきまり悪い思いをすることもあった。かといって「聞き取れなかったんでしょ？」と尋ねるのも憚られた。

韓国語を学びにソウルに来たのだし、できるだけ韓国語で話そうと思っていたけれど、たまに英語で話したくなると梨泰院に遊びに行ったりした。店員の多くは非常に流暢に英語を話した。彼らが使う英語は「梨泰院英語」だった。発音には韓国語の影響が濃く、文法にも合わない不自然な表現が多かった。だいたいにおいて簡単な単語と表現しか使われないが、売り買いに関しては難しい単語や上級表現もごく自然に使われていた。

僕の記憶に残っているのは彼らの「英語力」よりもその表情や態度だった。彼らは何を言われても堂々と明るく愉快だった。僕の言葉が聞き取れないときも、まったく物怖じしなかった。

"Say it again slowly."
もっぺんゆっくり言ってよ。

彼らは僕にこのように堂々と要求してきた。学校で会った大学生たちとはまったく正反対だった。梨泰院で買い物をしていると、わずかの間だけ、韓国人と愉快にコミュニケーションを取れているという気分になった。彼らが英語についてどんな興味を持っていて、どんなふうに考えているかはよく分からなかったが、彼らの表情からは自分たちの英語の実力に対する一種の自信が感じられた。他人の基準ではなく自分だけの基準で、必要なレベルの英語が使えるという自信だ。

目標は低ければ低いほどいい

僕らが外国語を学ぶ目的が今までと違うなら、今よりちょっとだけ「自信を持って気楽に話せるレベル」に設定すれば学習の負担はずいぶん軽くなる。目標は低ければ低いほどいい。

さて、低い目標ってどの程度だろうか。新しく勉強しようとする外国語を英語に決めたと仮定してみよう。韓国で中学・高校に通った人なら、すでに英語を学んだ経験があるため、どうやって低い段階を目標にするか、かえって難しいかも知れない。一方で初めて学ぶ外国語は、「低い目標」を簡単に定めることができる。

「アルファベットを覚えて発音する方法を学び、基礎文法から始めて基礎単語を覚えていく」

ここまでは十分に達成感がある。でも、英語ならこの程度ではとても満足できない。そういうときは自分の英語力を正確に把握しよう。現状を把握すると、成し遂げようとするレベルと現実との違いに気づけ、どの部分が足りないのかが分かる。僕はすでに「外国語に関する振り返り」について話した。その要領で、一度勉強したことのある言語の現状を把握することができるだろう。

若き建築家のAは大学を卒業し、設計事務所で働いていた。いつか独立して設計事務所を開くのが夢だ。将来の夢のために若いときに留学したほうがいいと思った彼は、英国の名門大学の建築学科修士課程への留学を準備し始めた。何よりも英語がカギだった。彼には大学卒業後約３か月間イギリスで語学研修した経験があった。語学研修は会話中心で、イギリス滞在中に主に旅行をしたり、課外活動も頑張った。そのときに会った外国人の友達とは今まで仲良くしている。彼らとの会話は問題なかったし、話したり聞いたりすることに対する恐怖感はそれほど大きくなかった。と、自信に酔えていたのも束の間、彼はすぐさま自分が読解や作文が苦手なことに気づいた。大学時代も英語の原書はあまり読まなかった。英語能力認証試験を受けるためにも、留学のためにも読解と作文の準備は必要だった。彼には非常に高いレベルの目標が必要だった。彼は英文法の本を再び読み始め、足りない部分を補うため地道に努力した。英語についてただぼんやりとした自信だけがあったのなら、彼は目標を達成できなかっただろう。

しかし、成人学習者がみんなそんなふうに高レベルの目標を設定しなければならないのだろうか？　僕がソウルの北村（プクチョン）に住んでいた、今から約10年前のこと。若い夫婦が町内に新しくカフェを開いた。大学を卒業後就職し、結婚した後、意気投合してカフェをオープンしたのだ。僕はすぐさまに常連になった。そのうち北村は有名になり、外国人客が大幅に増えたが夫婦とも英語がそれほど上手な方ではなかった。何度か海外旅行に行ったことがあるぐらいで、それ以外は英語を使う機会がほとんどなかった。カフェをオープンした頃は、外国人客がこんなに増えるとは予想外だったし、初めはうまく接客できないことが恥ずかしかった。しかし、いつまでもそう言ってはいられない。２人ともカフェから離れられなかったので、語学教室に通うこともままならなかった。

２人は外国人客によく尋ねられる質問にちゃんと答えられるように、必要な単語と表現を身につけた。英語のメニューも用意した。ずいぶん前に習った挨拶の言葉を一生懸命練習した。少しずつ準備を整えて接客すると気持ちが楽になって余裕が生まれた。自分たちの英語力に気後れせず、できる分だけ、客がくつろいでいけるように、とだけ目標を決め、それに合わせて準備した。

北村を離れて西村（ソチョン）に引っ越した後も、アメリカから久しぶりにソウルを訪れるときも、僕はしばしばそのカフェに足を運ぶ。訪れるたびにこの夫婦の英語力は上達していった。自信を持って誠実に接客する姿が素敵だった。この夫婦は、自分たちの目標に向かって努力し、それだけの成功を享受しながら過ごしているのだから、それで十分のように見えた。流暢な英語力が彼らにとって何の意味があるのだろうか。

外国語マスター、好きこそものの上手なれ
上手になれば好きも深まる

外国語を学ぶためには、「頭と心のバランスが重要だ」と言った。頭には論理的に外国語を学びたい理由がなければならない。心には学びたいという意志がなければならない。

歴史を見ると、外国語に秀でた人物が多い。イタリアの有名なジュゼッペ・ガスパロ・メゾファンティ（Giuseppe Gasparo Mezzofanti 1774～1849）枢機卿は学生時代、外国人神父に出会ってヨーロッパの多くの言語を学んだ。神学校に通いながらアラビア語を勉強し、後にボローニャ大学でアラビア語とヘブライ語を教えた。教えただけではなかった。彼は同大学でトルコ語、ペルシャ語、中国語を学んだ。彼は約30か国語を話すことができたと言われている。

大航海時代、海外で活動する宣教師たちは現地人の言語は言うまでもなく多くの言語を身につけるのが一般的だった。彼らの多くは現地の言語を集中的に勉強した。もちろん、その地域の人々に自分たちの言語を教えることにも熱心だった。

外国語マスターと言えば芸術家たちも忘れてはいけない。アイルランドの有名な小説家ジェームズ・ジョイス（James Joyce 1882～1941）は英語の他にフランス語、ドイツ語、イタリア語、ギリシャ語が得意で、ラテン語と古ノルド語を大学で学んだ。文章を書くかたわら、言語的刺激を満たすために多くの外国語を地道に勉強した。

思想家のカール・マルクスとともに共産主義理論を定立したフリードリヒ・エンゲルス（Friedrich Engels 1820～1895）の母語はドイツ語だったが、彼は英語、フランス語、ロシア語、イタリア語、スペイン語、ポルトガル語、ポーランド語、そしてアイルランド語を話すことができた。外国語学習が趣味だった彼は、誰か外国の人宛てに手紙を書くときは、相手の言語で書こうと努めた。

アメリカ独立宣言文の起草委員でありアメリカ合衆国第３代大統領のトーマス・ジェファーソン（Thomas Jefferson 1743～1826）も外国語マニアだった。彼は小学校でラテン語と古典ギリシャ語を学び、９歳からはフランス語を学び始めた。当時の外国語学習は一般的に文法翻訳式教授法が主流だったため、ジェファーソンもそのように外国語を学んだ。

成人後、彼は多くのフランス語の文献を読んだ。書斎のフランス語辞典数冊で単語を引き引き読み進めたのだろう。彼の政治的性向はフランスの影響を多く受けていることが知られているが、そんな彼がフランス語文献を主に読んだのは、学習が目的というよりもフランスに関してより多くのことを知りたかったからだろう。

ジェファーソンは、アメリカ独立戦争終結後、1784年から1789年まで駐フランス米国大使を歴任した。フランス語を読むのに問題はなかったが、問題は会話だった。

「相手と何の話をしているのかも分からないほど、私はフランス語をほとんど理解できていない」

1784年にジェファーソンが書いた手紙の一部だ。彼は言葉を学ぶために独自の学習法を発見した。

ジュゼッペ・ガスパロ・メゾファンティ

流暢な中国語の使い手だったことで知られる宣教師マテオ・リッチ

ジェームズ・ジョイス

フリードリヒ・エンゲルス

カナダ先住民に自ら考案した文字を教える宣教師ジェームズ・エバンス

「フランス語を学ぶための最良の方法は、パリの近くにある小さな村のフランス人家族と一緒に生活することだ。家族の中には女性と子供がいなければならない。読解のために机に座っている時間と、フランス人家族とコミュニケーションする時間をバランスよく分けなければならない。約3か月間、女性と子供から身につけたフランス語は、男性から約1年間学ぶだけの価値がある」

ジェファーソンは読解と並行して、ネイティブとコミュニケーションを取ることで会話を覚えたようだ。これは僕が1982年の夏、日本滞在中に日本語を学んだやり方とほぼ同じだ。つまり、読解を通して知識を身につけつつ語彙を増やし、複数のネイティブスピーカーと自然に会話できる機会を積極的に活用するということだ。ジェファーソンは読んだり話したりすることと同じぐらい、フランス語で外交文書を書かなければならない場面も多かった。

トーマス・ジェファーソン

De par le Roy

A tous Gouverneurs et nos Lieutenans Généraux en nos Provinces et Armées, Gouverneurs particuliers et Commandans de nos Villes, Places et Troupes, et à tous autres nos Officiers, Justiciers et Sujets qu'il appartiendra, Salut. Nous voulons et vous mandons très expressément que vous ayiez à laisser librement passer le Sieur Jefferson, Ministre plénipotentiaire des Etats unis de l'Amérique septentrionale près notre Personne, retournant par congé en Amérique avec sa famille, ses Domestiques, bagages et Equipages sans lui donner ni souffrir qu'il lui soit donné aucun empêchement; le présent passeport valable pour deux mois seulement. Car tel est notre plaisir.

Donné à Versailles le 18 7bre 1789.

Louis

Par le Roy

[illegible]

Gratis

トーマス・ジェファーソンのパスポート。フランス国王ルイ16世が1789年9月18日ベルサイユで署名したもの。約4年間駐仏アメリカ大使を務めたジェファーソンは、このパスポートで祖国に帰ることができたが、わずか2年後、ルイ16世は怒れるフランス民衆によりパリに戻された。

トーマス・ジェファーソンのパリ邸宅。彼は主に自宅で公務を行い、庭園でトウモロコシを栽培したりもした。モンティチェロ所蔵

この部分についても特に努力したであろうことは想像に難くない。彼はフランス語の他にもさまざまな外国語を学習した。1817年に書いた手紙を見れば分かる。

「私は古典ギリシャ語、ラテン語、フランス語、イタリア語、スペイン語を読むことができる」

彼の書斎にはドイツ語、アラビア語、そしてゲール語辞典と文法参考書があったことが知られているが、これもまた彼がさまざまな外国語を学習したことを間接的に物語っている。

メゾファンティ、ジョイス、エンゲルス、そしてジェファーソンの共通点は何だろう。何よりも彼らが当代の上流層、またはエリート階層だったという事実がまず目につく。外国語を一つ二つではなくいくつも学べる余裕と能力を持っている人は少なかったはずだ。彼らの大半は裕福なエリートだった。しかし、それだけだろうか。裕福な上流階級やエリートだからといって皆が外国語マスターではなかった。では、彼らのもう一つの共通点は何だろう。もちろん、彼らの中には生まれつき言語の天才だった人もいたはずだ。しかし、彼らが天才と言われるほど流暢に外国語を駆使できたのは、生まれつきの天才性のためだけではないと思う。それよりも外国語を学ぶ必要とその道程で味わう楽しみのバランスが調和を成していた結果だと思う。

非常に単純でありきたりのように思えるが、正解は遠くにあるとは限らない。彼らは皆、外国語に対する好奇心が強かった。具体的な目的のためというより上流層にいるため自然に外国語に接し、外国語を学ぶ楽しみを見出し、そうして学んでいるうちに使い道が増え、もっと上達する必要が生じ、外国語の実力はますます上がり、使い道はさらに増えて……の無限リピートが続いた。つまり、外国語が不思議で、楽しくて学んでいるうちに、それを役立てるさらに多くの機会が与えられたわけだ。

外国語学習の成功要因、学ぶ過程そのものを楽しむこと

これはどういう意味だろう。今日の外国語教育のパラダイムとは正反対だ。僕たちのほとんどは逆からスタートする。つまり、具体的な目的と必要に迫られて外国語を学び始める。必ずしなければならない、乗り越えなければならない、失敗すると取り残されてしまうチキンレースに、嫌々参加し、疲れ果てて倒れるまで続けなければならない。

そんなふうにゲームを始めると、参加者がどれほど外国語に関心を持っているか、どのような気持ちを持っているかは誰も問わない。どうすればもっとうまくできるのか、高い点数を取ることができるのかという点にのみ目標は固定される。

これが韓国をはじめとする数多くの非英語圏国家で英語教育を始めて以来、最近まで続いてきた英語教育の前提条件だった。ひょっとしたら、このような教育は外国語がどれだけ上手かには関心がないのかも知れない。どうすれば高得点できるかという点にその関心はオールインされている。高得点こそが外国語能力の尺度として君臨している。点数に換算可能な範囲内で外国語の勉強をしなければならず、そのように評価された点数は実力と認められた。すべての科目で高得点を獲得する秀才たちが、外国語の点数でも上位を占めるというのはすっかりお馴染みの風景だ。そんな外国語の勉強は無味乾燥で面白いはずがない。

20世紀後半に入って状況が少し変わった。外国語に関する興味が多様化するにつれ、優秀な学習者たちがわんさか現れた。さらに、優秀な学習者に関する研究も行われた。言語の天才への興味より、優秀な学習者に興味が持たれ始めたのだ。彼らはどうやって外国語を勉強するのだろう。優秀な学習者研究の意義は、彼らを研究することで外国語学習に成功した人々の特徴が分かり、それを応用して多くの学習者に効果的な外国語教育の環境整備が

期待できることにある。

ここで注目すべきことは、優秀な学習者の定義だ。「優秀」という物差しはどこにおくべきなのか。よく言われるようにその言語をネイティブのように流暢に操る人というわけではない。各自が設定した目標の中で成功していればそれだけで優秀な学習者といえる。彼らは関心のある言語を個人的に学ぶ機会を設け、各自必要なだけの流暢性を身につければ、それで満足する。一つの目標を成し遂げた後、その次に進むかどうかはその時になって決める。

もう一つ注目すべき地点がある。優秀な学習者になるか否かを決める最も重要なポイントは何だろうか。そこに「興味」があるかどうかだ。それはどのような興味だろうか。外国文化やその言語圏の国に対する興味がまず思い浮かぶ。日本の漫画が好きで日本語を身につけたという人々や、2000年代半ば、韓国ドラマ『冬のソナタ』を見て俳優ペ・ヨンジュンのファンになり韓国語を学ぶ日本人が急増したことが思い出される。ヨン様のファンは、ハングルを皮切りに簡単な表現を学び始めた。最近、K-POPの登場を機に世界的に韓国語への興味を示す人がとても増え、今も増加傾向にあることはすでに見てきたとおりだ。ネット環境の発達で、学習へのハードルはさらに低くなっている。

ここで一度押さえておきたいことがある。韓流やK-POPなど他の言語圏の文化への興味は、外国語学習を始める動機としては十分だ。だが結果的にこのような場合、学習の進度は概ね、非常に基礎的な段階で止まってしまう。始める人は多いが、続ける人は思ったほど多くない。韓国語を学ぼうとする人々が急増していても、初級以上のカリキュラムの設置が遅れているのもそのような理由からだ。

もちろん、それでも満足しているなら、その人の学習は成功だ。だが、外国語を通じて得られる本当の楽しみを見つける前に入口で立ち止まってしまった感は否めない。立ち止まる理由は簡単だ。

他言語圏の文化に対する興味だけでは外国語学習を持続させる動力としては弱いのだ。もちろん日本のマンガや映画への興味から始まって流暢に日本語を使えるようになった人はごまんといるし、韓流やK-POPを通じて韓国語が上手な外国人たちが急増したという数多くの事例もある。しかし、彼らをしてその外国語をそれほど上達させたのは、単に文化に対する興味がすべてではなかったはずだ。入口はそうだったが、他の楽しみと興味が彼らに外国語学習の原動力となったはずだ。

それはどんな関心だろう。答えはとてもシンプルだ。外国語を学ぶ行為そのものに関心を持つこと、これこそ外国語学習の成功要因だ。新しい言語を学ぶときのことを考えてみよう。新しい発音と文法の体系を身につけることは誰にとっても簡単ではない。だが、その過程を苦しむのではなく、それ自体に興味を持って学んでいくうちに知的刺激を受けられたらどうだろうか。知的刺激は好奇心を満たし、日々新たなミッションが与えられる。そのミッションをパスすること自体に興味を感じ始めると、いつの間にか繰り返し練習や暗記が不可欠な外国語学習に適応している自分に出会うことになる。そのように成長する自分を見るのは楽しい。楽しければ続きやすく、続きさえすれば、いつの間にか優秀な学習者になっている。もちろん、これは外国語に限った話ではない。世の中のいろんな物事に根本的な関心がなければ学ぶことは難しい。時間がかかる外国語は特にそうだ。

では、どのようにすればそんな興味が持てるのだろう。それが分かれば外国語を学ぶのに役立つはずだ。興味の対象を少し変えてみるとわかりやすくなる。外国語そのものではなく学ぶ行為に集中し、そして行為の性格に注目してみよう。外国語はある意味勉強というより訓練に近いと言える。そう、体育や音楽に似ている。コツコツ練習をしなければ身につかず、学問的な側面より実用的な側面のほうが強い。発音を練習しないとうまく話すこともできない。一度学んだ単語や文章、表現を練習しないと自然に使えるようにならないし、読み書きも練習しなければまともに身につけられない。簡単に言えば、外国語の学習は新しく学んだものを練習しながら、そうして身につけたものを自分の中に少しずつ積み上げていく行為だ。つまり「行為による学習」なのだ。このような行為そのものに興味を感じることこそ、興味の第一歩である。

外国語教育の現場で私は「優秀な」学習者に数多く出会ってきた。今でもよく覚えている学生がいる。ソウル大学国語教育科に在職していたときだった。彼は、「自分は外国人のための韓国語教育教材の開発担当者としての経歴があり、大学ではフランス語を専攻したが、フランス語よりも英語の勉強に力を入れていた」と話した。彼が開発したビデオ教材はとてもユニークだった。流暢な英語はもとより、必要に応じて日本語やフランス語、スペイン語で説明する映像が教材のいたるところに掲載されていた。その映像の中で、彼はさまざまな言語を非常に楽しく操っている。一番自信のある英語はもちろん、多少下手な他の外国語を使うときも自信に満ちている。途中で詰まるときもあるが、そのときも笑いながら進む。外国語で話す自分の姿を楽しんでいるのがありありと分かった。最初は複数の言語を勉強するようになるとは思ってもいなかったはずだ。しかし、新しい言語に接したときの好奇心、知識が深まる過程が与える楽しさ、いつのまにか新しい言語を少しずつ使えている自分に出会う喜びこそ、彼を多重言語者の道に導いた原動力と言える。

外国語は難しい、それはみんな同じ

外国語は難しい。誰も否定しない。否定してもいけない。誰にとっても時間がかかるし努力が必要なことだ。あなただけがそう思っているわけじゃない。

この言葉はすなわち、年を取った人だけが難しがっているのではないという意味でもある。年を取ったからといって外国語を学んではいけないということはない。始めて1年以内に国際会議で流暢に発表したいなんて夢ではなく、道端で外国人に話しかけられたときに避けなくてもいいようにというぐらいの夢ならば。新しく出た外国の長編小説を数か月以内に読めるようになるという夢ではなく、学生時代に読んだ童話を原語で読みたいというくらいの夢ならば。数か月後には外国語で本を書きたいという夢ではなく、SNSにその日の気持ちを簡単に書き込むことができるようになりたいという夢ならば。今すぐに外国語の勉強を始めたって遅くはない。そしてそうやってコツコツ歩んでいけば、新しい目標がその歩みをさらに広く深く豊かな言語の世界に導いてくれるだろう。できるだけ目標を立てて、その目標に向かって進む過程を楽しみながら、ゆっくりと地道に努力すれば、たとえ誰かが言う外国語学習の王道に出会えなくても、自分だけの素朴な道を歩んで行くことができる。いや、ひょっとしたら、その道がいつか僕らを「外国語学習の王道」に誘ってくれるかも知れない。

12

外国語学習の道、
立ち止まるな、
ひたすら前進、前進、
前進あるのみ！

地道な努力のおかげで目標に達したからといって、それで終わりではない。外国語学習をやめた瞬間からその実力は後退し始める。それも恐ろしいスピードで。忘却は勉強中にも襲ってくる。昨日まではっきり覚えていたはずなのに、今日思い出せない単語の数は一つや二つではない。

立ち止まったら、また振り出しに

毎日三つ以上の言語で読む＆話す＆書く時間を作る。僕がずいぶん前から毎日欠かさずやっていることだ。今はアメリカに住んでいるので、どうしても母語である英語を使う機会が多い。日常生活でも英語、研究や資料の精読も英語だ。

もちろん韓国の大手マスコミやポータルサイトなどで韓国語のトップ記事に目を通すし、SNSで友人たちの近況も確認する。軽い気持ちでできるだけ多くのテキストを読む。韓国の知人とメールでコミュニケーションすることも主な日課の一つだ。韓国語の本や資料などを読むときは、自然と集中して精読する。

日本語にもほぼ毎日触れている。ここ数年間、日本より韓国との縁が深まったため、どうしても韓国語に比べて比重が減ってしまったものの、大手マスコミとポータルなどは欠かさずチェックしている。日本語を聞いたり読んだりしない日はまずない。

スペイン語も頑張って勉強している言語の一つだ。学生時代も学んだが、2018年から再び勉強を始め、以前の実力を回復するために毎日スペイン語のニュースを聞いたり、簡単なウェブサイトを見たりする。スペイン語の実力を取り戻すための孤独な戦いについては、後ほど詳しく話すことにしよう。

この他にもドイツ語やフランス語、エスペラント、そして最近習い始めたイタリア語まで思いつくままあちこちを巡る。テキストを無理にたくさん読んだり、精読しようとするよりも、軽い気持ちで読み流す。

その言語に対して慣れている程度によって、接する分量と内容、難易度はまちまちだが、このように習慣づけていれば、実際にしょっちゅう使わなくてもその言語に対する感覚は維持できる。いざというときに以前の実力をより早く取り戻すことができる。

こんなことをしている理由は簡単だ。外国語は一度習ったからといって終わるわけではない。一時期、いくら熱心に勉強し、頑張ったとしても、ちょっと目を離した隙に、努力の甲斐も虚しく一瞬で記憶のかなたに消えてしまう。数十年間外国語とご縁のあった人が、学生時代の成績表の成果を自信のよりどころとしているなら、それは単に過去の思い出に過ぎないのだと言ってあげたい。いや、はっきり「夢から覚めろ」と言ってあげたい。残念ながらその成績表はもう「自分のもの」ではない。これから１年間一生懸命頑張るぞ！と誓いつつも、心の片隅で１年頑張れば十分だろうと思っているなら、それもまた幻想だと言ってやりたい。そんなことは起こらない。なぜなら……

「外国語の学習に終わりはない」からだ。

地道な努力のおかげで目標に達したからといって、それで終わりではない。外国語学習をやめた瞬間からその実力は後退し始める。それも恐ろしいスピードで。

忘却は勉強中にも襲ってくる。昨日までははっきり覚えていたはずなのに、今日思い出せない単語の数は一つや二つではない。勉強が軌道に乗ったからといって安心は禁物だ。果てしなく消えていくのと同じくらい、覚えなければならない新しい表現や単語が来る日も来る日も果てしなく目の前に現れる。その言語の変化速度や、学習者本人の記憶能力によっても差はあるだろうが、新

高校時代スペイン語を学ぶためにホームステイしたメキシコシティの街

1978年　東京でホームステイしていたころ、同年代の日本の友人たちと旅行した鎌倉で

1983年　ソウルで韓国語を学んでいたころの姿

1984年　ソウルでのひととき

アメリカに住みつつも、この部屋に座って今まで学んださまざまな外国語を日々巡礼するように読み、書き、聴いている。

若い頃に出会った韓国語のおかげで多くの人と出会った。そして ハングルで本を書きながらより多くの韓国の読者との出会いを夢見ている。

しく身につけるべきことが絶えず消えては現れ、消えては現れを繰り返すのは、誰にとっても同じことだ。だから外国語学習の前提として次のことをあらかじめ念頭に置いた方が楽かもしれない。

一つは、外国語はとにかく学ぶべきことが多く、難しいという前提だ。難しいと思っているのは自分だけではないことが分かれば、心が折れかけたときに自分を支えてくれる力になる。

もう一つは、外国語は忘れるために勉強しているのだという前提だ。今日勉強したことを全部忘れても、それが外国語の性質なら気持ちがめげそうになったときの慰めになる。

学習期、外国語学習は直線ではない

こうして見ると、外国語学習における時期と性格は大きく二つに分けられる。「学習」と「維持」だ。学習期と維持期とも呼ばれる。

多くの人は外国語を勉強するとき、学習期だけを念頭に置く。数か月間一生懸命勉強すればある程度はものになるのではないかと期待する。しかし、数か月間勉強して身につけた実力をキープするためには、その後もずっと勉強を続けなければならない。学習期と同じくらい維持期も重要なのだ。死ぬまで外国語が上手でいたいなら？　死ぬまで外国語を勉強しなければならない。

学習期の外国語学習はたいてい言語の発音と文字を覚えることから始まる。さらに単語を覚え、文章を読んで話せるようになる

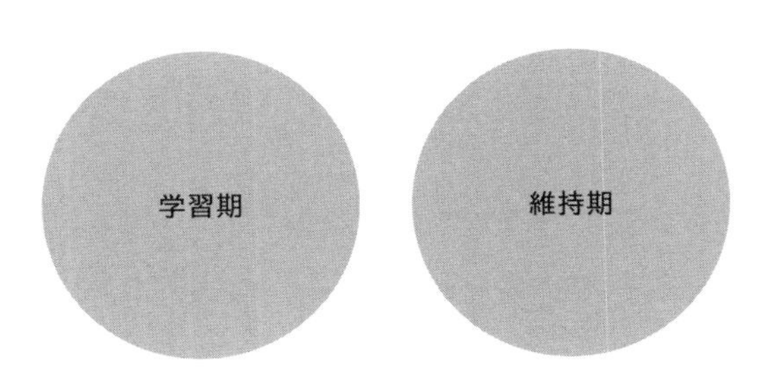

までにはどうしても時間がかかる。しかし、すべての学習者がみんな同じ時間と努力を要するというわけではない。

1992年春、ソウルで日本語能力試験１級を受験した。大学で専攻したのはもちろん、その後も数年間本当に血の滲むような努力をして試験場に辿り着いた。ところが、休み時間に他の韓国人たちの話を聞くと、ある人は独学で９か月間勉強したと言い、

再発行

1

日本語能力認定書

CERTIFICATE
JAPANESE-LANGUAGE PROFICIENCY

FOUSER ROBERT JOSEPH

1961. 12. 15

ソウル Seoul

上記の者は1992年12月に国際交流基金および財団法人日本国際教育協会が実施した日本語能力試験１級に合格したことを証明します。 1993年2月19日

This is to certify that the person named above has passed Level 1 of the Japanese-Language Proficiency Test given in December 1992, jointly administered by the Japan Foundation and the Association of International Education, Japan.
February 19, 1993

1993年に取得した日本語能力試験1級合格証

またある人は６か月間日本語教室に通って一生懸命勉強したという。僕はちょっと頭に来て、自分と同じ西洋人の友達にこっそり聞いてみた。彼も僕のように何年も必死に勉強して試験を受けに来たという。西洋人には数年がかりの勉強を、韓国人はたった数か月でやってのけるのだ。韓国語と日本語の近さのせいだ。癪に障るが仕方がない。

一方で、ドイツ語やスペイン語などを学ぶときは、事情は真逆になる。英語圏の人間の方がはるかに有利なのだ。僕がこれらの言語を学ぶスピードは、韓国人や日本人の友達とは比べものにならないほど速い。もちろん、先に英語を勉強していればこれらの言語の学習に役立つ。

つまり、各自の母語が何で、学ぼうとする外国語が何なのかによって学習時期の期間、難易度、スピードなどは異なってくる。しかし新しい外国語のドアを開き、慣れていくことは、誰しもが避けて通れない道のりだ。

ここで覚えておいてほしいことがある。教育課程が発展し、教材も多様化するにつれ、外国語学習課程＝直線、つまり効率的で効果的に学べるものだと考える人が増えた。しかし、長年外国語

の勉強を続けてきた僕の経験から言うと、外国語学習は決して直線ではない。

まっすぐの直線のように、一度学んだことを全部覚えてぐんぐん前にすすめる人はほとんどいない。勉強したことの一部は忘れ、新しい情報を受け入れ、またその一部を忘れ、繰り返し記憶するということを繰り返す。前に進んだと思ったら、いつの間にか後ろに下がっていて……という無限ループ。挫折がいつも背後について回っているようだ。多くの学習者は、数え切れないほど繰り返される堂々巡りに音を上げたり、学習法がおかしいせいだ、いや自分の頭が悪いせいだとのたうちまわる。

しかし、希望を失ってはいけない。その苦しみは永遠ではないからだ。あきらめずにいると、ある瞬間、ポーンと一段と駆け上がったような喜びが待っている。この快感を経験すれば、そしてその経験を長く記憶すれば、昨日覚えたことが、今日思い出せなくても挫折しなくてすむ。

つまり、学習期には少し自分に寛大になる必要がある。外国語学習が直線的に進まないこと、覚えて忘れてまた覚えることが外国語学習の基本であることを認め、受け入れる姿勢を整えなければならない。自分に合った学習法で、小さな目標を設定して肩の力を抜いて勉強していかなければならない。

忘れることに対しては何かいい対策はないだろうか。これはもう、ひたすら一に練習、二に練習だ。忘れてしまったことをまた思い出して覚えて……と繰り返しながら前に進むしかない。「ここまで苦労して外国語を勉強しなければならないのか」と言う人もいるだろう。そうなのだ。だからこそ何とかその中に楽しさを見いださなければならない。大変なことは続かない。急いで目標に達することだけを考えず、学ぶ過程そのものに楽しさを見いださなければならない。登山を思い浮かべると分かりやすい。体はクタクタ足はガクガク、それでも人には登り続ける理由がある。苦難を乗り越えて登っていくと、いつの間にか頂上にたどり着く。

頂上で味わう喜びもさることながら、登ることそのものの楽しみも素晴らしいのだ。

ここで元気の出る豆知識。外国語の勉強には意外なメリットがある。年を取るにつれて知識基盤で使われない情報はどんどん削除されるという話はすでに述べた。でも新しい情報がどんどん入ってくると、これを処理するために僕たちの脳は活発に動く。活発になればなるほど脳は確実に健康になる。難易度の高い情報が入ってくると脳はさらに活発に動く。新しい情報を注入するのに、外国語学習ほど効果的なものはそうそうない。そう考えると、外国語学習は難しければ難しいほど脳の健康のためには良いという素敵なことになる。このような苦労の末に味わう喜びや達成感は何物にもかえがたい。

維持期、「外国語の損失」という招かざる客

自らの目標を達成したなら、つまり学習期をある程度過ぎたなら、二つの道が現れる。一つは、次の目標を設定し、学習期を続けること。もう一つは、これまで学んだことを維持すること。これがいわゆる「維持期」だ。

維持期にも外国語を勉強し続けるのは同じなので、一見学習期と大差なさそうに思える。いや、学んだことを維持さえすればいいと考えるため、疎かになったりもする。だから、外国語学習の研究においても維持期の重要性について言及することは極めて稀だ。

しかし維持期に必ず登場するのが「外国語の損失」だ。やっと勉強したことが頭からあっと言う間に光の速度で消えて無くなる。この損失を最小限に抑え、獲得した実力を維持することに重点を置かなければならないという点で、学習期に負けず劣らず格別の努力が必要だ。だが、外国語習得、外国語学習法に関する研究は非常に活発に行われているのに対し、維持期の「外国語の損失」

に対する関心は相対的に大きくなく、関連研究も不足している。

19世紀末に登場した外国語教育革新運動は学校教育の革新につながり、その後100年間に渡って流行したほぼすべての教授法も学校で行われる外国語教育に焦点が当てられた。つまり個人より集団に注意を傾けられたわけだ。しかし、20世紀末に入り、徐々に学校教育だけでなく、さまざまな教育環境で外国語を学ぶ数多くの個人にも関心を持つ教授法が登場した。以前に比べて一歩前進だ。そして、それまでほとんど見られなかった成人学習者に対する研究がはじめて行われ始めた。さらに成人学習者に対する外国語教育界の関心が高まり、「生涯言語学習（life language learning）」の概念が登場し、国家の政策にも次第に幅広く反映され始めた。

前述のヨーロッパ言語ポートフォリオもこの一環であり、より小さな都市と地域単位においてもさまざまな試みが続いた。韓国もこのような影響を受け、生涯外国語学習の概念がかなり前から一般の人々にまで知られ、今日では韓国放送通信大学校や地方自治体が運営する図書館、生涯教育院などで外国語学習の機会を成人に提供している姿がよく見られる。

しかし、このような生涯学習活動、つまり成人の学習に関する研究活動は依然として学校で行われており、学生中心の外国語教育に関する研究活動に比べてその比重が圧倒的に低いのが現状だ。だから学習期はもとより、その後に訪れる維持期の重要性や外国語損失に対する社会的認識、これに対する積極的な取り組みは依然として足りない。

一方、外国語損失に対する社会的認識、またはこれを解決するための研究の不足にはまた別の原因がある。それは英語だ。外国語学習の場で最強のヘゲモニーを掌握している言語はやはり英語だ。20世紀後半、英語の影響力が世界的にさらに強くなり、今は誰も英語学習の必要性に疑問を持たない時代になってしまった。非英語圏に住んでいる人であっても、学生時代のちょっとした学習に止まらず、英語と共に生きていく人生を当然のように受け止めている。このように、英語学習が一生ものであるという意識は、学習者の英語力が失われるかもしれないという可能性を、研究者たちに忘れさせてしまった。すなわち、誰もが維持期ではなくひたすら学習期に立っていなければならないということが当然視され、外国語学習研究における課題の多くは効果的な英語学習法だけに集中した。

実力と外国語の損失は反比例する、損失を遅らせたいなら実力を高めること！

だからといって、外国語の損失に関する研究が完全に失われたわけではない。その研究成果は1970年代から徐々に発表された。一番の成果は何といっても、実力によって損失速度と範囲が違うという点を明らかにしたことだ。つまり、外国語の実力が低ければ低いほど損失が早く、実力が高いほど損失速度も遅いという点が確認された。このような外国語の損失に関する研究の対象が英語ではなく他の言語に限られているというのは注目に値する。英語が除外された理由はシンプルだ。前述したように、英語はもはや誰もが一度学んだが最後、休まず学習し続け、使用する言語だという前提が置かれているためだ。つまり、一度学んだ英語は日常的に使われるため、維持期を特に考慮する必要がないという認識の結果でもある。非英語圏でも英語はもはや選択ではなく必須であるという強力な前提が形成されたのだ。

にもかかわらず、外国語の損失に関する研究が珍しい状況で、このような研究成果が言語学習全般にわたって広く参考にできる部分が多いという点も否定できない。

では、一般的に外国語の損失はいつから起きるのか。驚くなかれ。学習後、２日目からそれは起きる。休暇の間、勉強をまったくせず楽しく遊んだ生徒たちは、始業後、休暇前に学んだことをほとんど忘れてしまっていると言ってもいい。

高校で学んだ第２外国語は、卒業後にはほとんど使う機会がないことが多い。さらに10年以上の年月が過ぎたとしたら、果たしてどれだけのことを覚えているだろうか。学校に通っていた頃、勉強して試験を受け、教科書を読んだ記憶こそ鮮明だが、いざ思い出そうとすれば、出てくるのはちょっとした挨拶の言葉がせいぜいだろう。損失の最後のステージを今まさに経験しているというわけだ。

先ほど、「実力が高いほど損失速度が遅い」と言った。しかし安心するのはまだ早い。つまり、遅いだけで、損失を避けることはできないという意味だからだ。かつて、いくら流暢に外国語を使ったとしても、その実力が永遠に続くということはない。若い頃海外留学をしたものの、韓国で数年間過ごしている間、すべて忘れてしまったという人は一人や二人ではない。出張や旅行でその言語圏に行けば、また思い出したりもするが、韓国に帰ってくるとまたすぐに忘れてしまう。

僕もそうだ。大学で日本語を専攻して、約13年間日本で教授として生活したが、久しぶりに日本に行くと２、３日は日本語がうまく出てこない。前に比べて日本語が鈍ったという感じがする。平均的に１年に10日から２週間程度は日本で過ごすのだが、日本を離れる頃になってようやく以前の日本語の実力が回復して、不自由なく過ごせるようになる。韓国語だってそうだろう。日本語よりはるかに集中的に使っているし、新型コロナの流行前までは毎年春と秋にそれぞれ約２か月程度は韓国に滞在したが、到着後２、３日はやはり不慣れでなんとなく言葉が出てこない。日本語に比べればその回復は早い方だが、以前の韓国語の実力に戻るまで数日はかかる気がする。韓国と日本に長い間住み、今でも毎年一定期間滞在しながら１日に何時間も接しているこの僕でも、損失は例外なく起きているわけだ。もしかしたら今この瞬間にも、僕の頭のどこかで何かが消えていっているのかもしれない。目にも止まらぬ光の速度で！

13

外国語と一生付き合う方法、毎日コツコツ読んで、書いて、聞いて、使って

外国語は技能だろうか、それとも教養だろうか。技能なら運動のように考えればいい。一度積み上げた実力を維持するためにはたゆまぬ練習が必要だ。少しずつでも地道に持続してこそ、実力を維持できる。外国語の実力維持も同じことだ。コツコツ続けるためには、できるだけ日常の中に引き込むことだ。そうすれば言語との心理的距離が一層近くなり、維持にも大きく役立つ。

外国語と末長く付き合うには？
外国語を日常の中に

このような外国語の損失を最小限に抑えるためにはどうすればいいのだろう。学習期が直線ではなく段階別になっているように、維持期もやはり理解したことを忘れてはまた思い出しては忘れ、忘れては思い出すことの繰り返しの中で昔の実力を回復したりする。だから必要なのはやはり、たゆまぬ努力だ。かといってその言語を使う国を定期的に訪れる必要はない。それより毎日少しずつその言語を忘れずに使うことの方がはるかに効果的だ。

僕の場合、主にアメリカに滞在しながら１年のうち約４か月を韓国で過ごすことが韓国語の実力維持に大きく役立っている。しかし、アメリカにいながら毎日韓国語を使うことも本当に役に立つ。先ほどお話したように、僕はほぼ毎日韓国語を聞いたり、ハングルのテキストを読んだり、ハングルで文章を書いたりしている。周辺に韓国人がほとんどいないため話す機会は少ないが、聞いて読んで書くという過程を繰り返しながら語彙力を維持するのはもちろん、新しい単語も絶えずアップデートする。韓国で新しく使われ始めた単語をその都度覚えておけば、韓国の友達に会うときにすぐ使える。長い間離れていた距離感を一気に縮めるのに非常に効果的だ。

ハングルで文を書くことも韓国語の実力維持には大きく役立つ。アメリカで暮らしつつも、僕は韓国のメディアにコラムを連載し、新著の原稿を書くことも続けている。執筆中には非常に多くのことが同時多発的に起こる。まず、文章を書くためにはとてもたくさんの資料を読まなければならない。そうして読んだ資料を参考に、伝えたい内容を整理する。意味を伝えるのに最も適切な単語と表現を選択する。すでに知っている単語を復習したりもするが、関連単語を自然に新しく習ったりもする。文章の構成もあれこれ試すことができる。また、一つの文章を完成させるために脳が活発化し、持ちうる韓国語知識が総動員される。文を書く途中にも確認しなければならない資料がたくさんある。そしてまたさまざまな文を読む。時には日本語を初めとして、僕が知っているさまざまな言語圏の資料も一緒に調べたりする。

しかし、学習者みんなが僕と同じではない。僕は文章を書いたり本を読んだりするのが仕事だが、他の学習者にとって僕のような方法は負担が大きいだろう。このとき効果的なのが、読み書き、やはり多読だ。軽いテキストを片っ端から読むことは、外国語の学習にはもちろん、維持のためにも良い方法だ。多くの人の目に触れることに抵抗がないなら、SNSに短い文をちょくちょくアップすることも、やはり外国語の損失を防ぐ効果的な方法だ。同じ言語圏ユーザーのフィードバックを受けることもできるのでとても役立つ。

字幕なしの映像を見るのもおすすめだ。YouTubeは外国語を学ぶうえでも語学力を維持するうえでも効果的な映像を簡単に探すことができる。字幕を付けたり消したりできる点も便利だ。多読するテキストを探すときのように、関心のある分野の短いさまざまな映像を見るといい。チャレンジ精神を呼び起こすような高レベルの映像も見かけるが、それはおすすめできない。

選択的にインターネット検索ポータルサイトを活用するのもいい。主にアメリカではGoogleを、韓国ではネイバー（NAVER）やダウム（Daum）を愛用している。地図もやはり韓国では ネイバーかダウムのマップを使う。辞書も然り。アメリカで韓国ポータルにアクセスしていれば、まるで韓国にいるような気がする。韓国語がさらに生き生きと感じられる。日本に滞在するときは、やはり日本のポータルサイトを利用する。実力を維持したい外国語をできるだけ日常の中に引き込めば、言語との心理的距離が一層近くなり、維持に大きく役立つ。

外国語は教養か技能か

外国語学習行為の特性については先ほど少し話した。勉強というよりむしろ訓練に近いという話だが、外国語学習の性格に対する議論はすでに長い歴史がある。ルネサンスから19世紀末まで、外国語学習は偉大なテキストを原語で理解することに焦点が当てられていた。外国語は人と疎通するための技能というよりは、上流層が身につけるべき教養だった。19世紀末に起きた外国語革新運動以降、「外国語は教養である」という主張が下火になり、外国語は「技能である」という声が大きくなった。以後、20世紀半ば頃からは外国語が技術であり技能だという主張がいつのまにか主流になり、教養だという主張はすっかり力を失った。さらに、20世紀末から英語は個人の競争力のための必須技能となり、このような傾向はますます強まる一方だ。

外国語を技能と見るのか教養と見るのかについては、別途の議論が必要だ。ただ、外国語を技能として考えれば、学習期と維持期の特徴について簡単に理解することができる。考えてみよう。外国語が技能なら、トレーニングでレベルを上げていく運動や音楽とあまり変わらない。運動と音楽も学習期を経てからは維持期が続く。これまで培った実力を維持するためには休まず練習しなければならない。運動と音楽に相当な忍耐心と根気が必要なように、外国語も似た部分がある。休まず少しずつでも地道に続けてこそ実力を維持できる。

もちろん対象の外国語を使う機会が多ければ、損失の速度も遅くなり、比較的短い期間で損失部分を回復できるが、そのような時間的・経済的余裕に恵まれた成人はそれほど多くない。そのため、日常生活に無理のない範囲で、ほぼ毎日地道に手軽にできる方法を見つけることが大事だ。

「私はこの言語の使い手だ」、自分に与えた新たなアイデンティティ

外国語の実力維持には、単にその言語を忘れずに使えるということとは別の意味がある。学生時代、外国語を学ぶときは外国語と自分のアイデンティティを一致させる機会が少ない。外国語を習ったとしても、その言語はあくまで他者の言語だ。しかし成人後、地道に外国語を勉強し、実力をある程度維持しているなら、その言語が他者のものだという意識はもはや捨てた方が良い。つまり、国籍と関係なく自分がその言語の使い手だという新しいアイデンティティを自分に与えるのだ。たとえその言語のネイティブスピーカーにはほど遠くても、同じ言語である程度コミュニケーションが可能な関係になるということは大きな意味がある。つまり、その言語の実力を維持している限り、「自分」はその言語の使い手だ。そう意識すれば、その言語とあなたとの関係は以前とは違うステージに移る。

大学卒業後に韓国語を習い始め、今に至るまで一生懸命努力しているが、それでも僕は絶対に韓国語ネイティブにはなれない。そういう意味では、韓国語は永遠に「他人の言語」だ。しかし、韓国語で意思疎通をしているので、僕が韓国語の使い手であることは否定できない。僕はいつしか自らに「韓国語の使い手」とい

うアイデンティティを与え、言語損失を最小化するために努力している。その結果、ロバート・ファウザーという個人にとって韓国語は「自分の言語」になった。このようにアイデンティティを与えてからは、自分の人生において韓国語とおさらばすることはできなくなった。アイデンティティの一つになった韓国語の実力を維持するために根気と忍耐力を発揮し続けるのは自然なことだ。

約40年ぶりに再びスペイン語の勉強を始めた50代ロバート・ファウザー大公開！

僕にとって「自分の言語」は韓国語だけではない。先ほど、韓国語や日本語を日常的に使ってはいても、久しぶりに韓国や日本に行くと数日間、多少ぎこちないという話をした。それでも、これらの言語はとても親しい友達との再会という感じがする。これよりはるかにぎこちない関係の「自分の言語」がある。それはドイツ語やスペイン語だ。

1990年、ソウルに住みながら約１年間ドイツ語を勉強した後、しばらくドイツに滞在して集中的に勉強した。高校時代から大学入学後にかけて約３、４年スペイン語を学んだ。高校３年生のときにもらった奨学金でメキシコでホームステイをしながらスペイン語を集中的に勉強したりもした。1980年代、ソウルでもしばらく勉強を続けた。しかし、その後やめてしまったため、ドイツ語とスペイン語はいつのまにか私にとってよそよそしい言語になってしまった。かつて一生懸命勉強した２つの言語をそのように手放してしまったことが残念だった僕は、すでにかなりの部分が失われたスペイン語の実力を再び取り戻す決心をした。

きっかけは、2017年１月、テキサス州の州都オースティンで開かれる言語学会に参加したことだった。オースティンはメキシコや南米からの移民が多い都市だ。宿舎から学会の場所まで行き来するバスで久しぶりにスペイン語を思う存分聞いた。学会を終えた後、数日間滞在しながら辺りを旅行した。どこへ行ってもスペイン語が聞こえた。高校時代を思い出させるメキシコ式スペイン語なので懐かしい感じがしたが、聞き取れない言葉が多いことにショックを受けた。僕のスペイン語の実力がどれほど失われてしまったか思い知らされた気がした。オースティンを離れて、何としてでもスペイン語の実力を取り戻さねばと思った。

とりかかる前に「外国語振り返り」の時間を持とう

本格的に始める前に、僕も「振り返り」の時間を持った。スペイン語を初めて習ったときから今までの僕とスペイン語の関係をじっくり探ってみた。そして、どの部分をどのように集中的に学び直すべきか、計画を立て始めた。何よりもスペイン語の実力とともに自信も失われたので、まず簡単な会話が流暢にできるようになるという目標を立てた。自信の回復が何より急務だった。早く集中的にスペイン語を回復するため、そして自分自身をその気にさせるために、2018年秋、約２週間マドリードに滞在する計画を立てた。出発前に考えた。

「スペイン語をたくさん使える環境を作ろう、行ってみたかったところには必ず行ってこよう」

つまり、スペイン語の実践と旅行の一挙両得を狙ったわけだ。もちろん具体的な計画も立てた。ざっとこんなところだ。

- 毎朝起床後にテレビでスペイン語のニュースを見てから外出。
- 昼間は主に市内でスペイン語を使う。
- 夕方には宿で本やニュースを見て単語や文章などの練習。

外国語に関する振り返り	
言語名	スペイン語
学習動機や理由	以前のスペイン語の実力を回復する
学習目的	南アメリカ旅行。アメリカのスペイン語話者とスペイン語でコミュニケーション。アメリカより温暖なメキシコあるいはスペインで冬を過ごす
学習目標	スペイン語で日常会話ができ、スペイン語の文章を自由に読めること
対象外国語の学習経験（経験がある場合）	
使用可能なレベル	・読解：中級 ・作文：初級と中級の間 ・会話：初級と中級の間 ・聴解：初級と中級の間
学習経験1	・いつ：高校2、3年生。大学1年生、50代中盤 ・どこで：学校、メキシコでのホームステイ、スペイン旅行 ・どれくらい：ホームステイ2か月、スペイン旅行3週間ほど
学習経験2	・全体的な印象：高校で初めて学んだときから面白かった。文法と発音の体系が論理的で、英語と似た部分があるので学びやすい印象 ・学習を通じて得たこと：スペイン語学習を通じて他の外国語を学ぶことに自信が持てた ・学習方法：高校時代は授業の進度に従った。文法と発音の練習に集中し、大学では文学作品の読解と討論中心の学習
学習経験3	・楽しかった記憶：メキシコでのホームステイ後、スペイン語で夢を見るようになったこと ・挫折した記憶：卒業後は学習を疎かにしてきたせいで、中年になってすっかり実力が落ちてしまったと悟ったこと
学習経験4	・満足した記憶：ホームステイのとき、がむしゃらに練習して実力が向上するのを体感したこと ・後悔している記憶：学生時代以降、実力を維持できなかったこと
学習経験5	・一番伸ばしたいと思う部分：実力を回復した後も、絶えず実力維持に努めたい
その他	

例えば、美術館を見て回った後、市内を歩きながら店やカフェなどを利用する際、スペイン語を使うという方法だ。こうすれば、一日に聞いて話して、読んで、書くという言語の４機能を総合的に身につけることができそうだった。宿泊施設は観光地ではなく、市内から地下鉄で20分の距離の一般住宅街に決めた。

しかし、果たして２週間でスペイン語の実力をどの程度回復できるか予想がつかなかった。初めて学ぶ言語なら発音、挨拶、数字、必要な単語など順序を決めて学習計画を立てることができるが、昔の話とは言えそれなりに流暢だったスペイン語からどの部分が消え、どの部分が残ったのか見当がつかないため、具体的な計画を立てることができなかった。

スペイン語回復２週間プロジェクト

結果的に２週間のスペイン語回復プロジェクトはある程度成功した。読みと聞き取りはほぼ以前の水準に回復した。来る日も来る日も、放送と新聞でニュースを聞いたりテキストを読んだりして重要単語を熱心に覚えたが、特に名詞は素早く覚えることができた。英語と同じくラテン語由来の単語が多いスペイン語の特性のおかげだった。テレビに出てくるスペイン語の発音は、かつて習ったメキシコ式発音とはまったく違っていた。最初は聞き取りにくくて慌てたが、YouTubeで発音の違いを理解してみると、ずっと聞き取りやすくなった。宿の周辺には観光客が少なく、南米から来た移民が多く住んでいた。英語を話す人はほとんど見かけなかった。そのおかげで、地元のスーパー、カフェ、食堂、パン屋などで欲しいものを手に入れるためには、何とかスペイン語で解決しなければならなかった。僕が一言聞くと、10の言葉が戻ってくるので生きたスペイン語を思う存分聞くことができたし、おかげで聞き取りが一層楽になった。

すべて上手くいったわけではなかった。最も残念な部分は会話

失われたスペイン語の実力を回復するために訪れたマドリードの街角

だった。いろいろ思い出して、会話もある程度は回復すると思ったが、期待外れだった。忘れていた単語や表現などはほとんど思い出したが、いざ話そうとすると簡単に出てこなかった。その上、予想だにしなかった状況に戸惑った。つまるところ、いざスペインには着いたものの、話す機会が思ったより多くなかった。自信ややる気とはまったく関係のないことだった。最大の理由は、まさに僕がもう若者ではないという事実だった。マドリードに旅立つとき、僕はぼんやりと韓国と日本に滞在しながら言葉を学んだ時代を思い出していた。見知らぬ所で出会う人たちと愉快にスペイン語で言葉を交わす姿を妄想し、わくわくしたりもした。

しかし、「今日の僕」は当時の「若い僕」ではなかった。若い頃は行く先々で出会う同年代の若者たちとその国の言語で気楽に付き合うことは簡単なことだった。ネイティブスピーカーと会話をするチャンスも多かった。しかし、50代半ばの中年男性が見知らぬ都市の現地人と気楽に付き合い、その国の言葉を使うチャンスを得ることは決して楽ではなかった。

また別の変化も体感した。インターネットとITの発達により「言葉そのもの」が必要なくなっていた。以前は駅の窓口で現地の人と言葉を交わして発券してもらった電車の切符はスマホのアプリで簡単に解決できた。宿でも食堂でもそうだった。確かに外国に来ているのに、一言も話さなくても生活するのに何の問題もなかった。

僕はマドリードに到着して間もなく見知らぬ宿に横になり、自分自身と世の中の変化を正面から眺めた。そして来る前に立てた計画を修正した。もう少し早起きをして、夕方には宿に早く帰ることにした。話す代わりに読み書きの時間をより多く持つことにした。毎晩読書の練習に集中した。忘れていた単語をもう一度覚えて、新しい単語を地道に覚えた。徐々に読みやすくなり、自信がついた。到着初日に比べて新しい情報を受け入れる速度も一層速くなった。街歩きのたびに目に入る単語が増えるので、都市の風景がはるかに豊かに見えた。外国語学習をする上で読解がいかに重要かを改めて悟った。

日ごとにスペイン語が楽になっていった。そしてマドリードを去る日が来た。もっと滞在していたら、話すこともずっと上手くなったかもしれない。マドリード市内を巡りながら、機会があれば人々と対話を交わしたが、見知らぬ人々と交わすことができる対話の幅は限定的にならざるを得なかった。せいぜい物を買ったり役所などに立ち寄って職員たちと話を交わす程度で、大きな期待はできなかった。話し相手のスペイン人の友達がいたら、ずっと効果的だっただろうが、それは無いものねだりというものだ。

スペイン語は自分の言語。新しいアイデンティティを獲得したロバート・ファウザー

こうして2週間を過ごした後、アメリカに戻った。短い期間だったが、それなりに成果があったと思った。ただ、英語の海で

あるアメリカでじっとしていれば、再びスペイン語の実力が失われることは火を見るより明らかだった。少しばかりでも回復したスペイン語の実力を維持する方法はないか思い悩んだ。

日々韓国語と日本語に割くほどの時間を作ることはできなかった。マドリードに滞在していたときは1970年代にスペインの民主化運動で名声を得た新聞として有名な『エル・パイス』を読み続けたが、アメリカではそれより軽い読み物を探すことにした。以前なら自分に合うテキストを探すためにはずいぶん苦労しなければならなかったが、今はクリック数回でパパッと解決だ。

そうして見つけたのが「ユニビジョン」だった。アメリカの主要ニュースをスペイン語で放送するサービスサイトだが、主にメキシコ式スペイン語が使われ時に英語インタビューも行われる。英語で放送するときはスペイン語字幕が出る。すでに知っているニュースをスペイン語で読んで聞けば、一層理解しやすいので、ほぼ毎日見ている。

もう一つは、アメリカ人スペイン語学習者のための辞書サイトだった。申し込みをするとメールでスペイン語の文章と英語の説明を毎日送ってくれる。ユニビジョンに入れない日は、ここから送ってもらった資料でも必ず見るというマイルールを作った。こうして毎日少しずつだが、欠かさずスペイン語に触れている。このように地道にやっているうちに語彙力が目覚ましく伸びた。文章を読むスピードもだんだんに速くなってきていて、勉強の喜びを感じている。徐々にスペイン語に慣れて、気楽に読み書きできる自分、時々機会があるたびに短いスペイン語で会話をする自分を発見するたびに、僕は自分自身に新しいアイデンティティを与える。「スペイン語はロバート・ファウザーの言語」だと。

黒歴史はもう終わり！
新たな楽しみを味わう自分との出会い

外国語学習には終わりがない。韓国語が比較的上手に思われている僕にとってもそうだ。こんなふうに言われるとどうしても気が重くなるだろう。始めなきゃよかったのでは……と思ったりもするだろう。学習期に比べて維持期はずっと退屈でつらい。しかし、人生そのものがそうであるように、苦あればこそ楽ありだ。

英語を例に挙げてみよう。学生時代に英語を学んだ人が英語を学び直そうと決心した。彼は新たに学習期に入ったのだろうか、それとも維持期に立っているのだろうか。僕が思うに、彼は今、維持期の真っ只中だ。ただ、英語の成績に対する記憶は、それが良かったにせよ悪かったにせよ、もう忘れなければならない。記憶のかなたに消えてしまった単語たちは勿体ないが、それを嘆いている暇があれば、今知っていることだけでも失わないように努力したほうがいい。新しいことを学ぼうと焦るより、すでに知っていることを着実に固める維持期の姿勢を持とう。知っていることがどんなに取るに足らないものに見えても、それをもう一度確認し、そこから始めることこそ意味がある。

始める前からそんなのは退屈だろうと思い込んではいけない。維持期は決して化石のように固まっている時間ではない。地道にやっていけば、どこかで待ってましたとばかりに新しい地平が開ける。言うならば偶発的学習だ。すでに知っていることを乗り越えて新しいことを自分のものにする楽しさこそ外国語学習の醍醐味だ。

今の実力では外国人に会っても一言も話せないからといって、あまり自分を責めなくてもいい。外国人に会って一言だけでも話すことを目標に、今から始めればいい。そうすれば、次の目標が登場し、目標を達成するたびに新しい楽しみを享受することができる。そうすれば、外国語学習はあなたの一生の親友になり趣味になる。そして、いつの日かあなたは自分に新しいアイデンティティを与える日が来るだろう。
「この言語は自分のものだ」と。

14

英語に非ずんば
外国語に非ず？
世界は広く、
学ぶべき外国語は多い！

外国語を学んだことのある人は、世界がいかに広いか知っている。それぞれ違ったきっかけで出会った外国語は、新世界にあなたを誘ってくれる。さあ、それではどんな外国語を学ぼうか。英語だけが外国語ではない。英語以外の外国語を学んだことのある人は英語の外にも果てしないフロンティアが広がっていることを知っている。

外国語の優先順位変遷史

世界に存在する多くの国家の中で、韓国は「国語」を使用する人の割合が圧倒的に高い国だ。ほとんどの国民が国語、すなわち韓国語を使っている。長い間、韓国人は韓国に住み、他の言語を使う必要をほとんど感じてこなかった。だが、外国との交流が増え、それに伴って韓国を訪れる外国人や外国に出かける韓国人が増えた結果、韓国の言語をとりまく様相ははるかに多様化している。日常で接する外国語の種類も多くなった。

ソウルで地下鉄に乗ると案内放送が流れる。韓国語だけではない。たいてい英語、中国語、そして日本語の順に3か国語の案内が続く。束草(ソクチョ)〔38度線以北に位置し、休戦ラインにも近い都市〕に行けばロシア語の看板を、釜山に行けばポルトガル語の看板をほうぼうで見掛ける。ソウル市内ではフィリピン語の看板も珍しくない。

しかし、ほとんどの韓国人にとって依然として外国語といえば英語だ。英語は第1外国語である。中国語と日本語を学ぶ韓国人も多いが、ほとんどがまず学ばなければならない言語としてやはり英語を挙げる。いわゆる「第2外国語」に対する関心は、社会レベルでも個人レベルでもそれほど大きくない。

このような雰囲気は一朝一夕に出来上がったわけではない。その源を探っていくと開化期にたどり着く。19世紀半ば、西洋と日本の帝国主義が武力で朝鮮の扉を開いた。それまで朝鮮の知識人が学ぶべき最優先の外国語は漢文、つまり中国の文章だった。しかし帝国主義者たちが朝鮮で大手を振ると漢文の覇権は崩れ、英語、フランス語、ドイツ語、ロシア語がそれに取って変わった。その後日本語が続き、中国語はランキング後方に追いやられた。

1894〜1895年の日清戦争、1904〜1905年の日露戦争で外国語覇権の順序は再び変わった。西洋の言語に取って代わったのは日本語だった。英語は第２外国語の一つになったが、第２外国語の中でも重要な言語として扱われた。

日本統治時代に入り、日本語はもはや外国語ではなく公用語となった。英語は西洋語の中で依然として最重要言語だった。大学教育を受け始めた朝鮮の上流層やエリートたちは日本語を公用語として駆使しながら英語を学び、教養としてドイツ語やフランス語などを学んだ。

1945年の解放後、外国語の覇権は三度(みたび)変化した。日本語は朝鮮半島から払拭されるべき言語となった。政治・経済的にアメリカとソ連の影響力が高まり、韓国では英語が、北朝鮮ではロシア語が第１外国語の座を占めた。それ以来、韓国で英語は第１外国語の座を一度も奪われたことがない。皆が学ぶべき一番の外国語はいつも英語だった。

第２外国語の優先順位は何度も変わった。開化期以降、1980年代初めまではドイツ語とフランス語が代表的な第２外国語だった。教養レベルではあったが、学校の指定科目として教えられ、英語の次に学ばなければならない言語といえば誰もがフランス語やドイツ語を挙げた。しかし、1980年代以降、雰囲気は一変した。日本語が勢力を伸ばし、1990年代に入ってからは中国語を学ぼうとする人が圧倒的に増え、優先順位の上位に浮上した。今日の教育課程では日本語、中国語、ドイツ語、フランス語はもちろん、スペイン語、ロシア語、アラビア語、ベトナム語、さらに漢文ま

1908年頃に韓国で活動した宣教師ガートルード・E・スネイブリー(Gertrude E. Snavely)。この頃来韓した西洋人宣教師たちの影響で韓国では早くから英語が重要な言語として扱われるようになった。南カリフォルニア大学図書館所蔵

1908年　西洋人宣教師によって運営された梨花学堂の学生たち。南カリフォルニア大学図書館所蔵

で独立した科目として含まれている。学校ごとに選択可能な科目に差はあるが、以前に比べればずっとバラエティーに富んだ言語を学べる環境が作られたように見える。

しかし、社会的関心は今でも「グローバル言語としての英語」に集中している。実用的な側面、つまりその効用だけ見ればグローバル言語としての英語ほど学ぶ価値が圧倒的に高い外国語は

見当たらない。そのため、韓国の小学生たちは３年生になると学校で英語を習い始める。

他の国はどうだろうか。外国語の授業を始める時期は国によって少しずつ違う。概して英語が上手だと評価されるデンマークとオランダの場合、小学校から英語を教え始める。英語ができない国といわれていたイタリアは、教育改革を通じて2000年代から６歳の子どもたちに英語教育を始めた。

第２外国語を習い始める時期は第１外国語に対して相対的に遅い中学校から始める生徒もいるが、たいていは高校からだ。しかし、入試にあまり役に立たず、授業時間も多くないため、ほとんどが初級レベル止まりで、卒業後はほとんど忘れてしまう。ヨーロッパをはじめとする非英語圏国家の状況も大きく変わらない。国際共通語で主に使う英語を先に学び、第２外国語を学ぶ。イタリアでも第２外国語は11歳から習わせる。これに比べ、英語を母語とする英国は第１外国語を11歳から教え、第２外国語は必須科目に指定していない。

しかし、ヨーロッパと韓国の外国語教育の現状には大きな違いがある。一つの大陸の中で他の言語を使う国々が隣接しているヨーロッパでは、国語以外に他の言語を学ぶというのは非常に自然な行為だ。その上、二つの言語を使っているバイリンガル国家が多いため、二つの言語を必須で習わせ、さらに外国語を一つや二つ必須科目として指定する国も多い。そのような国では成人になるまでに四つの言語を学ぶこともある。バイリンガル国家でなくても移民が多いヨーロッパでは、家では家族が使う言語を、学校では国語に指定された言語と第２外国語を学ぶ場合が多い。このような環境で育った子どもたちは、成人になるまでやはり２、３の言語を学ぶのが一般的だ。このような国々では外国語教育期間がはるかに長く、集中して教育するため、韓国人に比べて第２外国語に対しはるかに親近感がある。

英語を去りし者、限りなき領土に至らん

母語しかできない人に比べて、外国語を一つでも勉強したことのある人は、外国語を通じて享受できる世の中がいかに広いか経験で知っている。あなたが成人で、これまで母語だけで世の中を見てきたのなら、どんな外国語でもいいから学んでみることを勧めたい。強制的にやらされる外国語ではなく、自分だけの新しい動機を持って外国語を学んでみることは、まだ見ぬ新たな世界にあなたを誘うだろう。

さて、ではどんな外国語から始めればいいのか。やはり英語を優先視する人が多いと思う。この機に新たな気持ちでやり直そうとやる気を燃やすのもいい。しかし、それだけが正解なのだろうか。

英語以外の外国語を本格的に勉強したことのある人は、英語から離れたところにも果てしないフロンティアが存在することを知っている。よく外国語は新しい世界への窓であると言われる。そのとおりだ。早い人は小学校の頃から、その他の人は中学・高校の頃から学んできた英語だけが唯一の窓だと思って生きているなら、ちょっぴり残念だ。新しい趣味や教養課程として楽しく外国語を学ぶのなら、いっそのことこれまであまり関心を持ってこなかった真の意味での第２外国語を始めてみてはどうだろう。きっと今まで出会うことのなかった新しい世界があなたを待っている。

また、私たちが外国語を学ぶ理由についても真剣に考えてみる必要がある。結論から言えば、外国語学習は、何らかの目標を達成するための手段というよりは、それを通じて教養を高め、知的好奇心を満たすためのツールになるべきだ。

僕はなにも、外国語を教養と見るか、技能と考えるかについて今から討論しようと言っているのではない。外国語学習には確かにコツコツと練習することが大前提であるという技能的な側面が

あり、その実用性もまた強調されて久しい。だが、我々が再び外国語を学ぶ理由を改めて考える際は、教養として捉えるほうが望ましい。教養として外国語を学ぶということが久しぶりすぎて戸惑うかもしれないが、歴史的に見ればまったく新しい話ではない。

西洋の上流階級の男性は幼い頃から自然にラテン語を学んだ。ラテン語は彼らにとって教養の尺度であると同時に、自分たちの身分を表わし維持する道具だった。西洋だけではない。朝鮮の両班(ヤンバン)たちは幼い頃から漢文の読み書きができなければならなかった。漢文の読み書きができるということは、両班と平民の身分を区分する象徴であり、両班の身分にふさわしい知識を獲得し、教養を身につけることだった。いわば、外国語学習はそれ自体が教養でありながら身分を象徴し維持するための道具だったわけだ。また、外国語学習ができるということ自体がすでに、特権階層であることを表わす手段でもあった。

西洋で長い間このような役割を果たしてきたラテン語だったが、その後しばらくフランス語にその座を譲らなければならなかった。一時期、ヨーロッパの政治、経済、文化、芸術分野の言語は断然フランス語だった。国家間の外交言語もフランス語であり、知識人たるもの国籍と関係なくフランス語ができなければならなかった。

しかし、フランス語の栄華の時代は幕を閉じ、やがてその場を英語が占めることとなった。帝国主義時代を通じて「大英帝国」がその土台を作り、第1次世界大戦以後、強大国として登場したアメリカの影響が決定的な役割を果たした。アメリカは第2次世界大戦を経て超大国になり、全世界の覇権国家になった。アメリカの時代になり、彼らの言語、英語の世界がついに到来した。

英語にその座を譲ったフランス語はどうなったのだろうか。フランス語は新しい方法で存在感を示し始めた。1980年代以降、フランス語は以前とは異なる方法で人々の関心を集め始めた。英語に比べて実用性こそ劣るものの、趣味と教養言語としてはどんな外国語にも劣らない言語としてフランス語を学ぼうとする人が世界的に増え始めたのだ。

すると、フランス各地には一定期間宿泊を提供し、フランス語を学べる機関が続々と登場した。少人数を対象とした会話中心の授業が行われた。授業内容はあくまで趣味や教養を高めることにフォーカスした。例えば、こぢんまりとした古い田舎町の素朴な宿に泊まりながらフランス語を一定期間学ぶといった具合だ。授業内容にはフランスワインの歴史と楽しみ方が含まれており、授業の合間に近所のワイン醸造所を見学するプログラムもある。このように、ある地域ではフランス料理文化を、またある地域では演劇を通じて上級フランス語を学ぶプログラムを提供したりした。費用は決して安くはないが、短期間に基礎フランス語会話と関心のある分野について学ぶことができるため、海外から多くの人々が学びに来る。

このような試みをしているのはフランス語だけではない。イタリアやスペインなどでも、早くからこのように言語と文化を組み合わせて教える私設の教育機関が盛況だ。さて、その効果のほどはどうだろう。このような場所でフランス語、イタリア語、スペイン語を学ぼうとする人々の目標は、決して試験成績を高めたり就職、昇進することではない。彼らは外国語を楽しく学び、学んだ分、レベルに応じて自分が興味を持っている言語圏の文化に接することを目標にしている。そのため、彼らにとって外国語は学習であり、また同時に遊びであり、教養を高める手段でありながら、知的好奇心を満たす道具でもあるのだ。このような学習者のニーズを理解している機関は、学習者が思う存分学べるような楽しいプログラムを作り、学習者は積極的に参加し、集中的に学ぶ。その効果はお察しの通りだ。我々が目標とする、教養を高めることを目的とする外国語学習は、すでに多くの人々によってかなり前から始まっていたということだ。

西洋の言語だけなんてもったいない！
中国語と韓国語はいかが？
近づくほどに易しくなる外国語

さて、どんな外国語を学ぶべきか今から考えてみよう。世の中は広く、学ぶべき外国語は多い。

日本と共通点が多い韓国語や中国語を学ぶのも良い考えだ。この二つの言語は互いに日本語とは深い関連性がある。日常レベルでも同じ意味の語彙、すなわち共通語彙が多い。共通の語彙が多ければ、外国語学習の際にとても有利だ。まず親しみやすく、語彙を覚える時間を大幅に短縮することができる。いくつか例を挙げてみよう。

日本語：豆腐
中国語：豆腐［dòufu］

日本語：開始
中国語：开始［kāishǐ］

日本語：図書館
中国語：图书馆［túshūguǎn］

中国語の発音体系と声調、すなわち四声などは日本人にとって易しくはない。中国で使われる簡体字と日本で使用する形も異なる。それでも漢字を日常的に使っていることで簡体字をマスターする時間は短縮でき、発音が近い単語があることも有利だ。外国語を学ぶ時、とっつきやすさは非常に大事だ。その点、日本人は中国語を始める時、共通語彙のおかげでとても大きな入口に立てるのだ。

では韓国語はどうだろう。考えてみれば、日本人と韓国人にとってお互いの言語は世界で一番学びやすい外国語かもしれない。中国語は共通語彙という非常に広い入口があると言ったが、韓国語の入口の広さはその比ではない。共通語彙は言うにおよばず、さらに語順も似ているし、助詞の使い方や発音も似ている。動詞の活用方式もそっくりだ。パッチム〔一つの文字の終声となる子音〕の多い韓国語に比べて日本語はパッチムに当たる音が少なく発音の体系が異なるが、少し覚えればこれも似ているということにすぐ気づく。二つの言語が同じ語族に属するかどうかについては言語学者ごとに意見が分かれているが、それは学習者にとってはどうでもいい話で、二つの言語がほぼすべての面で互いに近く、共通点が多くて学びやすいという点が重要だ。他の言語に比べて比較的簡単に早く学ぶことができる。

ただ、だからといって楽勝かと言えばそうでもない。よく韓国人は「日本語の勉強は笑いながら入り、泣きながら出てくる」という。他の外国語に比べて入門が簡単だというのは長所だが、ある段階からはやはり頑張って勉強しなければならない。韓国語を学ぶ日本人にも同じことが言える。

2000年代半ば、鹿児島大学で日本人学生に教養韓国語を教えていた時、２年生に宿題を出した。

「ハングルの鹿児島観光案内文を日本語に翻訳すること」

日本人学生10人に同じハングル観光案内文を配布し、30分の時間を与えた。学生たちはすでに１年生でハングルと韓国語の基礎文法、基礎会話を学んでいた。つまり、非常に基礎的なレベルの学習能力を備えた段階だった。さてその結果はというと、ほとんどが上手く翻訳できていた。翻訳してみた感想を聞くと、普段日本語で書いている漢字のハングルでの書き方に慣れたことで、ネット辞書を検索するスピードが速くなって、意味が正確に分かったという答えが返ってきた。聴解、会話、作文、読解の中で、韓国語は読解が一番学びやすいということだった。学生たちの成績もやはり読解が一番良かった。読解は声を出して読む音読とは別物だ。案の定、自分が翻訳したハングル原文を音読させると、翻訳より時間がかかった。

日本語：空港
韓国語：공항（コンハン）（空港）

日本語：地下鉄
韓国語：지하철（チハチョル）（地下鉄）

日本語：高速道路
韓国語：고속도로（コソクドロ）（高速道路）

「コンハン」は漢字で書くと、「空港」だ。日本語も韓国語も同じ漢字だ。韓国語では「ㅇ」パッチムで終わるものが日本語では「う」[u] で終わる。韓国語の「ル」で終わる漢字語は、ほとんどが「つ」で終わるため覚えやすく、「高速道路」は韓国語の発音とよく似ている。「高速道路」のそれぞれの文字の韓国語発音を適用すれば、「高校」、「速度」などの韓国語をより簡単に学ぶことができる。

もちろん、日本人学生がこれに慣れるにはかなりの時間がかかった。韓国人が日本語を学ぶ時も同じだ。だが、いくつかの単語を覚えれば、すぐ慣れる。ハングルの体系や韓国語の発音変化はひたすら覚えなければならない。世界中のどの国の人であれ、韓国語を学ぶ時に感じる難しさは同じだ。ただ、日本人にとっつきやすい長所をうまく活用すれば、はるかに楽しく韓国語を学ぶことができる。

中国語や韓国語を学ぶと良いことがたくさんある。まず、地理的に近いので役に立つ。比較的安い費用で旅行にも簡単に行くことができ、交流が多いのでさまざまな文化に接するのに役立つ。自分が学んだ外国語を現地で使う機会をたくさん持つことは、外国語学習の大きなモチベーションになる。中国語や韓国語の本や雑誌をはじめ、ありとあらゆる情報をスラスラ理解することも、外国語を学ぶ大きな楽しみの一つだ。

ではヨーロッパの言語は？
フランス語、ドイツ語、スペイン語などなど、
充実したベースの活用メリット

次は視線をもう少し遠くに向けてみよう。日本人や韓国人にとっての第２外国語科目の常連であるドイツ語とフランス語を学ぶのはどうだろうか。さらに、韓国で最近学習者がぐっと増えたスペイン語とロシア語も加えて考えてみよう。これらの言語は実用面ではあまり役に立たないかもしれない。だが、これらの言語を学んでおけば、その言語圏に蓄積された古くからの文化遺産の数々をより楽しむことができる。また、今なお全世界の各分野の先端を行く人々の現在進行形の文化資源にいち早く接することができる。

日本人・韓国人とフランス語、ドイツ語はすでに長いご縁がある。これは辞書や教材が十分揃っているということを意味する。この言語を使っている人口、世界での広がり方、言語圏国家の経済規模などを計算してみれば、その有用性は相当なものだ。どの国でも主要な言語に挙げられているため、文化、芸術分野をはじめ、アクセス可能なコンテンツも非常に豊富だ。また、この言語圏の都市の多くが名高い観光地であることも見逃せない。

韓国人がスペイン語を習い出したのは、大韓民国の建国後だとされている。今までドイツ語やフランス語に比べて影が薄かったが、最近は若者の間で人気を集めている。

それに比べるとロシア語はやや疎遠な感じがする。開化期当時

は学習者が多かったものの、日本による植民地時代以後、朝鮮戦争を経て分断の時代に入ると、1990年代まで特別な人を除いて韓国でロシア語を学ぼうという人はごくまれだった。しかし冷戦が終息して以来、韓国とロシアの交流が活発になり、学習者も増え、旅行先としてロシアを選ぶ人もだいぶ増えた。

これらの言語は日常で触れ合うことが比較的少ない。しかし、果たしてそこまでレアな存在なのだろうか。英語学習の経験はこんなときに役に立つ。つまり、英語はこれらの言語へのアクセスを助けてくれる学びの架け橋だ。同じラテン語に端を発する英語を活用することで、新しい単語がずっと覚えやすくなる。

英語：idea
スペイン語：idea
フランス語：idée
ドイツ語：Idee
ロシア語：идея [ideya]

例えば、英語の「idea」はスペイン語でそのまま「idea」であり、フランス語は「idée」、ドイツ語は「Idee」、そしてロシア語は「идея」[ideya] だ。いずれもラテン語由来であるおかげで、単語が非常に似ている。

2020年の新型コロナウイルス感染症のパンデミックにより、世界中のどの国でも健康と医学に関するニュースが爆発的に増えた。他国で急に体調を崩したら、英語の「doctor」(医師) に当たる単語を知っていると役に立つ。この言葉はもともとラテン語から来たが、フランス語を通じて英語の中に定着した。ラテン語を語源としているので、ヨーロッパ諸国の言語と似ているのはもちろん、ヨーロッパの帝国主義によってアフリカやアジア諸国にまで普及した。以下の例を見ると一目で分かる。

英語：doctor

スペイン語：doctor

フランス語：docteur

イタリア語：dottore

ロシア語：доктор [doktor]

オランダ語：dokter

インドネシア語：dokter

スワヒリ語：daktari

ヨルバ語：dokita

一つの単語を通して、いくつかの興味深い点を発見することができる。例えば、ラテン語の影響によってスペイン語、フランス語、ロシア語、そしてオランダ語は英語と似ている。特にスペイン語は英語と綴りが同じ単語もいくつかある。

長い間オランダの支配を受けてきたインドネシアはオランダと同じ文字を使っている。19世紀、イギリスの支配を受けた西アフリカの主要言語であるスワヒリ語の「daktari」は英語の影響を受けているし、イギリスの支配下にあったナイジェリアの主要言語の一つであるヨルバ語の「dokita」も英語由来だ。

ラテン語由来同士でも、異なる単語が使われる場合もある。ラテン語の「doctor」は「医者」でもあるが、「先生」という意味もある。一方、ラテン語の「medicus」の意味は「医師」だ。英語の「medical（医学医、医療医）」、「medicine（薬）」のような言葉にその語源の影響をすぐ見つけることができるが、そのためかヨーロッパのいくつかの国で医師は「doctor」ではなく「medicus」に由来している。

ポルトガル語：médico

スペイン語：médico

イタリア語：medico

ここにもそれぞれ少しずつ異なる事情がある。ポルトガル語では医師は主に「medico」だけを使うが、スペイン語とイタリア語では「doctor」と「médico」、「dottore」と「medico」の両方が使われている。

難しい単語ほど同様の事例はさらに多くなる。例えば英語の「international cooperation」はスペイン語にすると「cooperación internacional」、フランス語では「coopération internationale」である。ロマンス語群に属するスペイン語やフランス語はゲルマン語群に属する英語と語順こそ違うが、いくつかの原則さえマスターすれば英語と似た単語が多く、簡単に暗記できる。

その一方で、ドイツ語は少し話が違う。先ほど言及した医師という意味の単語はドイツ語では古典ギリシャ語に語源のある「Arzt」だ。しかし、これに対し英語の「international cooperation」はドイツ語でも同様の「internationale Kooperation」である。

一つの言語はどれも長い時間をかけて今日の姿になった。それだけに、それぞれの個性があるものだ。だから、近い言語だからといってそれが絶対的な助けになるとは言えない。しかし、ラテン語に由来する外国語を学習するとき、英語を学んだ経験を活用すれば、より一層簡単に身につけることができる。

英語を学んだ経験は多くの言語圏の言語を学ぶとき、単語だけでなく発音と文法を身につけるのにも役立つ。英語と同じゲルマン語群のドイツ語は発音体系が英語と似ている。韓国人にとってドイツ語の子音を連結する発音が難しいが、このときも英語を応用すれば役に立つ。例えば「道」は英語で「street」、ドイツ語で「Straße」だ。どちらも単語の初頭の「str」子音連結が同じだ。また英語によく使われる［kt］発音はドイツ語でも頻出する。

韓国語：만들다（マンドゥルダ）（作る）
英語：made
ドイツ語：gemacht

ドイツ語の「gemacht」の語尾の発音は英語の動詞過去形の語尾の発音に多い［kt］とほぼ似ている。すなわち、ドイツ語の「cht」部分の発音が英語の「talked」や「walked」に出てくる「ked」部分の発音とそっくりなのだ。このような点が分かれば、ドイツ語の発音を覚えるのがずっと楽になる。

他の外国語はどうだろう。ドイツ語に比べてフランス語と英語、スペイン語と英語の発音体系はまったく違う。英語とドイツ語のようなゲルマン語群では子音連結が多いが、ロマンス語群であるフランス語とスペイン語にはそれほど多くないためだ。スペイン語は特に子音と母音が繰り返し出てくる言葉が多く、一見日本語と似たような感じがする。

Necesito una computadora nueva.
私は新しいコンピューターが必要だ。

スペイン語の文章だが、ここに書かれた「necesito」、「nueva」、「computadora」はそれぞれ英語の「need」、「new」、「computer」と同じ意味で綴りは似ているように見える。しかし、単語の文字をよく見ると、ほとんどが子音母音で構成されている。まるで日本語のように。そのため、英語を学んだ日本人や、英語と日本語を学んだ経験のある韓国人なら、英語と日本語の知識を活用してスペイン語を一層簡単に身につけることができる。

発音にもう少し注目すると、フランス語、スペイン語、ドイツ語には英語のような［f］発音の単語が多いことがわかる。

英語：photo
フランス語：photo
スペイン語：foto
ドイツ語：Foto

フランス語は英語の［f］発音をアルファベット‘ph’で表記するのが面白い。スペイン語とドイツ語は音の通りに「f」で表記する。英語の［f］発音を応用すれば正確に発音することができる。

他の例も挙げてみよう。英語の「treasure」［tréʒər］（宝物）や「garage」［gərɑ́ː(d)ʒ］（車庫）の［ʒ］の音を出してみよう。これは韓国人が苦手な発音の代表格だ。英語でこの発音の頻度は［f］より少なく、練習する機会も少ない。しかし、フランス語を学んでいると、この発音はよく出てくる。多くの韓国人がフランス語の「j」を英語の「j」のように発音するが、これは間違っている。最も多く使われる挨拶である「bonjour」の「j」の発音も［ʒ］だ。そのため、この発音がうまくできなければ、挨拶もできなくなるわけだ。もちろん意味が通じないわけではないだろうし、韓国式の発音で挨拶をしても、ほとんどのフランス人は喜んで挨拶を返してくれるだろうが、外国語学習の楽しみの一つがその国の言葉でカッコよく挨拶することだとすれば、正確な発音をマスターしておいて損はない。現地人から発音が良いと褒められたりすると、喜びが倍増するのは言うまでもない。英語を学ぶときに［ʒ］をよく学んでおけば、フランス語でも役に立つわけだ。

英語の学習経験が、近い語群の外国語を学ぶときに役立つ最大の長所は語順だ。フランス語・ドイツ語・スペイン語・イタリア語などは語順が英語と非常に似ている。また、冠詞と前置詞にも類似点が多い。

英語を母語とする僕がスペイン語を学んだときに最も役に立った部分がやはり語順の類似性だった。反面、日本語を学んだとき、一番難しかったのも英語とまったく違う語順だった。

英語では名詞を説明する関係節が名詞の後に来るが、日本語は名詞の前に来る。英語の文章はほとんど主語で始まるが、日本語は関係節で文章を始める場合が多く、慣れるのに時間がかかった。まるで宇宙語を学んでいるような気がした。ところが、日本語を学ぶと今度は韓国語の学習に大いに役立った。語順が似ているからだ。このようにすでに知っている外国語と語順のような構造面が似ている外国語は、新しい概念を身につける段階を省略することができ、手早く学べるという長所がある。これは当たり前の話だ。しかし、だからといってすべてが同じではないので、油断は禁物だ。

英語の冠詞にはジェンダー、つまり性概念がないが、西欧言語の多くにはジェンダー概念がある。日本人や韓国語人にとってもこの概念は慣れないことなので、身につけるには時間がかかる。また、フランス語、スペイン語、イタリア語などロマンス語群に属する言語は形容詞が名詞の後に来る。有名な映画タイトル「カサブランカ（casablanca）」はモロッコの都市名でもあるが、スペイン語で「白い家」という意味でもある。カサcasaが家、ブランカblancaが白いという意味だ。このように名詞＋形容詞の順序が英語や韓国語とは違う。

前述したスペイン語の文章「Necesito una computadora nueva.」をもう一度見てみよう。これには人称代名詞がない。スペイン語では動詞で行為の主体を表すため、会話に人称代名詞が必要ない。日本語や韓国語語も人称代名詞が必ずしも必要でないが、スペイン語が動詞の活用形で行為主体を表すのに対して、日本語や韓国語は文脈で理解するという点が違う。一方でスペイン語に近い言語であるフランス語は連音が多い。さらに代名詞を必ず使わなければ文章の意味を正確に把握できない。

英語話者としては文章に人称代名詞がないということがしっくりこない。僕も初めてスペイン語を学ぶときモヤモヤしたものだ。だが、スペイン語を学んだ後、日本語と韓国語を学んだときは、文章に人称代名詞のない言語に対する違和感をほとんど覚えなかっただけでなく、文脈で行為の主体を理解する言語の特性を比較的すんなりと受け入れることができた。

このように一つの言語、一つの外国語を学習した経験は、確実に他の言語を学ぶのに役立つ。最初は難しく思えても、習えば習うほど、これまで学習してきた言語と似ている点、違う点に適応しつつマスターすることがずっと簡単になる。このように少しでも役に立つほうを選択して活用したほうが、最初から外国語学習をあきらめてしまうよりずっといい。

正しいスランプ対処法、一度の挫折で諦めるべからず！

だからといって、一つの言語に秀でた人は他の言語も上手で当たり前だと考えてはいけない。反対に、外国語学習に挫折した経験があるからといって、最初から他の言語も難しいと思い込んで諦めることもない。

言語はそれぞれ互いに深い関係にあったり、遠い関係にあったりするが、明らかなことは言語ごとに固有の特性があるという点だ。その特性はみんな違うので、一度挫折したからといって外国語全体を諦める必要はない。とかく言語は学ぶことも多く、興味深い点も尽きない。学んでいるうちに、その国の特徴も自然に理解できる。これまでの外国語学習の経験を生かして、共通点はうまく活用して効率性を高めるのはいいが、余計な先入観は禁物だ。

アメリカ人として韓国と日本に長く住んでいることもあって、外国語を学ぶことが僕には常に喜びだろうと思う人も多い。もちろん、新しい言語を学ぶことは多くの場合楽しくやりがいもあるが、僕だって外国語学習が常に楽しいとは限らない。挫折するときもあるし、自信を喪失することだってある。そんなときやってくるのがスランプだ。

一言でスランプと言ってもいろいろだ。自発的に学ぼうとする意識高めの学習者と、学校で必修科目として学ばされている学習者のスランプは同じではない。

自分の場合を例に挙げてみよう。初めて学んだ外国語であるスペイン語を勉強している間は、スランプの記憶はほとんどない。先生も良かったし、成績も良かったし、褒められたのでひたすら楽しかった。メキシコでホームステイをした経験もとても役立った。2018年、ほぼ40年ぶりにスペイン語を集中的にトレーニングするためにマドリードに滞在し、スペイン語で話したり聞いたり読んだりするうちに、これまで忘れていた楽しさが蘇り、さらにはかつてスペイン語を疎かにしたことが後悔されたりもした。

一方で、日本語と韓国語の場合はどうだっただろうか。いつも楽しかったと言えればいいのだが、たまに訪れるスランプからは逃げられなかった。これは二つの言語の特徴のためではなかった。むしろモチベーションは高すぎるのに、学習の進度が気持ちほど進まないことから来るスランプだった。例えば、韓国人と一対一でうまくコミュニケーションできたときは自信がついたが、韓国人数人が集まった席で、対話についていけない自分自身を発見すると挫折感に襲われた。何よりもユーモアについていくのが難しかった。知らないとは言いたくないし、適当に一緒に合わせて笑いながらも、心の中は憂鬱だった。それは日本語を学ぶときも同じだった。でも、僕は諦めなかった。むしろそのたびにもっと勉強するぞと闘志を燃やした。

1990年、高麗大学英語教育科で英語を教えていた頃だった。久しぶりに学習者の立場で新しい外国語を勉強したくなった。どんな言語がいいか考えた末にドイツ語にした。世界的にアメリカとソ連の冷戦が終わり、ドイツの統一はもちろん、ヨーロッパ統合が話題になった時期だった。このような情勢に興味があるというのが選択の理由だった。南山(ナムサン)にあったドイツ文化院を訪れ、ドイツ語を勉強し始めた。

ドイツ語は英語と同じゲルマン語群だという点を知っていたし、まさにその点では韓国語や日本語に比べて簡単だと思った。だが、そうではなかった。スペイン語に比べて文法もややこしく思われ、覚えることが多すぎた。すべての名詞は男性・女性、そして中性に区別されるという点、冠詞には四つの格があるという点にも戸惑った。英語の「the」に該当する言葉が三つの性と四つの格によって「der」、「die」、「das」、「des」、「den」、「dem」などすべて異なることもややこしかった。僕にとってはあまりにも複雑で面倒だったし、ある瞬間心の中では「間違えてもともとだ」と思うほどだった。授業が終わった後、一緒に勉強していた韓国人の友人とビールを飲みながらドイツ語の難しさについて愚痴を言いあった記憶は今も鮮明だ。

マーク・トウェイン

振り返ってみると、あれは外国語学習の過程でのスランプだったとも言えるが、根本的にドイツ語の言語構造が僕と相性が悪かったためだったようだ。ドイツ語に対する興味と好感は依然として強かったものの、文法構造を身につけることに原因不明の抵抗感があった。だからといって完全に諦めることはせずにコツコツ学び続けたが、その頃読んだマーク・トウェインのエッセイの中にこのような言葉があった。

マーク・トウェイン著『ひどい言語、ドイツ語』表紙

「言語に才能のある人であれば英語は30時間以内に、フランス語は30日以内に、ドイツ語は30年以内に学ぶことができる」

1880年代にドイツを訪問し

たトウェインが『ひどい言語、ドイツ語（The Awful German Language）』という本に吐露した文だが、これを見ながらいつにも増して深く共感した記憶が改めて思い出される。

中国語もやはり甘くなかった。正規の教育課程や機関などでまともに勉強したことはなく、主に独学で学んだ。最大の壁はまさに声調だった。練習こそ楽しかったが、実践では常に難しく、声調の違いを覚えて使いこなすのが大変だった。独学用の教材はすべて発音と声調から始まるものだったので、余計そのように感じられたようだ。軽い文章や会話から始めていたらずっと楽しく学べたのではないかと思ったこともあり、逆に厳しいカリキュラムを経なくてはならない学校や機関でスパルタ式に教わっていたら、実力を集中的につけることができたのではないかと思ったこともあった。

もちろん楽しいことがなかったわけではない。2005年、北京で開かれた学会に参加したとき、街のあちこちを一人で歩き回った。現地で中国人の若い夫婦と会話をした際には、中国語を学んでよかったという気もしたし、ぐっと自信もついた。

このように、外国語学習を楽しめるタイプであっても言語的特性が学習者と合わず壁にぶち当たりうるということは、どの外国語を選んで学ぶか決めるときに注意すべき点ではないかと思う。また、この現象について外国語学習関連の学界の研究も必要だと思う。

外国語学習中のスランプと言えば、鹿児島大学で僕から韓国語を学んだ学生を思い出す。外国人が韓国語を学ぶときは、まずハングルと発音から始める。その学生の発音は最初からとても正確だった。時には韓国人のように聞こえたりもした。ハングルも楽しんで覚え、実際字も上手だった。試験の点数が良かったのは言うまでもない。ところが文法に入ると完全に様相が変わった。試験の点数も芳しくなく、欠席も多かった。理由を尋ねると「文法の勉強が難しくて嫌だ」という答えが返ってきた。彼は結局スランプから回復できず、韓国語の授業への興味を完全に失った。たまにキャンパスで見かけると笑顔で挨拶を交わしたが、「韓国語は完全に忘れてしまった」と照れくさそうに笑ったりもした。

僕がドイツ語の文法が嫌いだったように、彼も韓国語の文法が嫌いだったようだ。それがどんな部分なのか正確に把握して、引き続き勉強をすべきかどうか決めればいいのだが、坊主憎けりゃ袈裟まで憎いとはよく言ったもので、その嫌な気持ちが言語学習全般に広がり、ひいては言語学習自体から遠ざかることにつながったりする。僕の場合は文法は嫌いでもドイツ語を通じて得られる楽しさを考えて諦めずに勉強を続けられたが、彼が文法の苦しさを克服するのにハングルと発音の楽しさは役に立たなかったようだ。

外国語学習は非常に長く難しく複雑な過程を絶えず経なければならない。しかし、どの学習者がどの言語に出会うかということも重要な変数だ。人それぞれ合う外国語もあれば、合わない外国語も確かに存在する。つまりは一つの外国語が上手だったからといって、すべての言語が上手だというわけではない。逆に、一つができなかったからといって、すべてを諦めることもない。どの言語を選択して学ぶか慎重に考えることこそ、外国語学習成功の基本前提条件といえる。

挑戦！　ベトナム語からエスペラント語まで……。初めましての外国語との出会い。

視野を英語の外に広げたついでに、一度も触れたことのない新しい言語を学んでみるのもいい。韓国人に比較的馴染みのない外国語の中から選んでみよう。イタリア語やポルトガル語、オランダ語、スウェーデン語、デンマーク語のような西洋の言語でもいいし、インドネシア語やタイ語、ベトナム語でもいい。これらの言語は辞書や学習資料も少なく、同じ言語を学ぶ仲間が周囲にいないとモチベーションを維持するのも容易ではない。しかし、誰も通らない道を行く楽しみは他の言語とは比べ物にならない。新しい趣味や教養の言語として学ぶのには、もしかしたら最高のチョイスかもしれない。

インドネシアの人口は世界４位、面積は世界14位だ。ヒンドゥー教、仏教、イスラム教が混じり合い、そこにオランダの影響で西欧文化まで入り込んで極めて独特な歴史と文化を形成してきた。ベトナムは最近韓国との経済交流が増えており、関心を持つ人が大幅に増えた。インドネシア語やタイ語などは日本語や韓国語、英語と共通語彙もほとんどなく、文法体系もまったく違う。しかしベトナムは漢文を使っていた歴史があるため、漢字語がないわけではない。もちろん、今日はほとんど漢字を使わず、ベトナム語に特化したローマ字「チュ・クォック・グー（chữ Quốc ngữ）」が使われる。ただ、勉強すればするほど韓国語と似た単語が意外なほどたくさん出てくる。

例えば、「大学」はベトナム語で「Đại học」、「学者」は「Học giả」と書く。漢字から来た「学」を韓国語と似たように「học」と書くことが分かる。このように見慣れぬ外国語を学んでいると、まったく接したことのない言語圏の文化に対してじっくり触れる楽しさがある。

韓国語：대학（テハク）（大学）
ベトナム語：Đại học

韓国語：학자（ハクチャ）（学者）
ベトナム語：Học giả

「チュ・クォック・グー」の「Quốc」は「国」のベトナム語発音だが、次のような単語によく出てくる。

韓国語：한국（韓国）

ベトナム語：Hàn Quốc

韓国語：국제（国際）

ベトナム語：Quốc tế

韓国の「韓」は中国語と似たようにHànと表記し、これに「Quốc」をつけると韓国語や中国語とよく似たHàn Quốcとなる。ベトナム語表記法によって二つの音節の間は１マス空ける。

韓国語の「国際」の「際」はベトナム語では「tế」と表記されるが、韓国語の「経済学」に該当する「Kinh tế học」の「済（제）」のような発音なので、漢字の語源は違っても、韓国語の「際（제）」はベトナム語では「tế」として主に記されることが分かる。

韓国語の「経済学」に当たる「Kinh tế học」の「Kinh」は、韓国語の「経（경）」のような「k」で始まるのは似ているが、最後の部分の「ン（ㅇng）」は「nh」と表記するという若干の違いがある。しかし、ざっくり見れば似たように聞こえるのが分かる。このようにベトナム語の文字は漢字のように単語の意味を文字で直接示してはいないが、各音節の漢字語源を想像すれば、その意味を把握できる単語がたちどころに増える。

「Quốc」の最初の発音は韓国語の「ㄱ（k）」に似ている。韓国語、中国語、日本語、ベトナム語の「国」の発音はすべて［k］または［g］で始まるため、他の言語に比べて韓国人には覚えやすい。

しかし、すべてが簡単だという意味ではない。ヨーロッパの言語はお互い違いはあっても基本的にアルファベットは似ている。これに比べ、漢字圏の言語は漢字を共通的に使うが、文字がまちまちだ。したがって、同じ漢字圏の言語であっても、その言語を学ぶためにはまず文字を知らなければならない。それでこそようやく、読み書きに共通点を見出すことができる段階に入る。また、

1922年4月　ジェノヴァで開かれたエスペラント使用に関する国際会議。ジェノヴァ国連事務局所蔵

1908年当時のザメンホフ

ポーランド、エスペラント図書館

子ども向けエスペラント教材

中国語とベトナム語には声調があり、発音体系が韓国語と異なるため、音を聞いても意味がパッと浮かばない。そのため、各言語の文字を先に学んだ後、その文字を通じて単語を覚えながら共通点を学んでいくという方法が効率的だ。この段階が済めば単語の習得速度はぐっと速くなる。たとえ互いに語族は違っても、漢字圏の言語は漢字語由来の単語が多いためだ。言語ごとに多少の差はあるが、60〜70%程度は漢字語由来で、残り30〜40%程度が固有語だ。ただし、漢字語由来の単語は専門的だったり上級単語である場合が多く、読み書きによく使われ、日常会話では固有語の単語を別途覚える必要があることを忘れてはいけない。

これ以外に中東地域のアラビア語、トルコ語、イランの国語であるペルシア語はどうだろう。これらの言語はネイティブスピーカーが多く、人類の歴史から見ても重要だ。また、これらの地域の文化芸術レベルは非常に優れていて、見れば見るほど興味が尽きない。言語を学びながら、これらの言語圏の文化に対する関心を持つならば、世の中を見る目が以前とは一変するだろう。トルコ語は韓国語と語順や動詞活用が似ていて取っつきやすく、トルコ語を習えば同じテュルク語族であるカザフスタン語も簡単に学べるというメリットがある。

外国語学習を通じて多くの人に出会い、ひいては彼らとの強い連帯感、絆を持つことを願う人もいる。そんな人はエスペラントに注目してみよう。特定の国や地域で使われているわけではないが、同時に世界の多くの人々が使用している国際語エスペラントは、1887年にポーランドの眼科医ラザーロ・ルドヴィコ・ザメンホフ（Ludwik Łazarz Zamenhof、1859〜1917）が作り出した。

ザメンホフがエスペラントを作ったのは、民族とは無縁な、純粋に中立的な言語が必要だと考えたためだ。もちろん理由がある。ユダヤ人だった彼は当時ポーランドで起きている多くの民族同士の葛藤の原因が、互いに異なる言語にあると考えた。これを克服するために自ら「民族というアイデンティティをまったく持たない」中立的な言語であるエスペラントを開発したのだ。エスペラントはロマンス語群、特にフランス語をベースにしている。それにドイツ語と英語はもちろん、当時ポーランドでよく使われていたロシア語とポーランド語の特徴も反映した。民族的特徴を超えて誰もが使う中立的な言語を標榜するエスペラントが、ヨーロッパの主要言語を土台に作られたのは、すなわちヨーロッパ言語の覇権を表わしたものだという批判もあるが、互いに異なる国家と民族の構成員が第３の言語を通じて連結し、ひいては絆を形成するという点でエスペラントの存在意味は十分あると見られている。

20世紀に入り、その理念に共感する人が増え、エスペラントはヨーロッパで広く流行し始め、学ぼうとする人が増えた。しかし1930年代、ナチス・ドイツはエスペラントに流れる反国家的態度を快く思わなかった。国家は根本的に、ある領土内に住む国民の一体感を強調するものだ。一体感を確認する最も確実な手段こそ言語だった。ところが、エスペラントは言語を通じて国家と民族を超越し、人間の普遍性を強調したわけだ。これを帝国主義者や独裁者が喜ぶはずがなかった。そのためナチス、特にヒトラーはユダヤ人の弾圧と同様に、エスペラント運動を展開する人々を弾圧し虐殺した。

ドイツが敗戦し第２次世界大戦が終わり、弾圧は止んだ。時間がかかったがエスペラントは徐々に回復し始めた。エスペラントを学ぼうとする人もますます増え、現在の話者は世界に200万人余りだ。彼らの中には趣味で学ぶ人も多いが、ザメンホフがエスペラントに託した夢のように、平等な言語を通じて世界平和を成し遂げようとする希望を抱く人も少なくない。エスペラントを学ぶことは、単に新しい言語を学ぶという意味を超えている。いわばエスペラントの学習は「外国語学習共同体」に参加することを意味する。似たような理想を共有するという意義があるため、学習者同士の連帯感がとても強い。国や地域ごとにエスペラント会があり、年に１度世界大会が開かれる。学習者の間に民泊ネットワークができており、希望する地域を旅行しながらその地域の学習者たちと交流することも活発だ。これは他の外国語では経験できないことだ。

どんな外国語を学ぶかを選んだら、楽しさを維持する方法を見つけよう！

ここまで例に挙げた外国語は、すべて僕が１度は学んだり学ぶことを考えたことのある言語だ。考えただけでも幸せだった。この文を読む前まで「外国語＝英語」だと思っていた人は、思いのほか多くの選択肢の前にどんな表情をするだろうか。

誰かに決められた外国語ではなく、自分で選択して学んでみるときだ。目標も自ら決めよう。流暢なレベルになることを望むならどんどん頑張ればいいが、それが自己満足のやり甲斐であっても誰かに何か言われるわけでもない。プレッシャーから自由になって、それぞれのステージで達成感を感じること。それによって豊かな世界との出会いが期待できる。

ソウルになじみのスペイン料理店がある。社長のスペイン語はいつ聞いても愉快だ。料理はできるがスペイン語はからっきしだった社長は、食材と酒の名前を覚えることからスペイン語を習い始めた。食材と酒の名前をある程度覚えると、似たような言葉が目に入り始めた。例えば、「キムチ」を学ぶと「辛い」が分かるような具合だ。知っている単語が増えるにつれ、単語と単語の間の結びつきにも興味が湧いてきた。それで、スペイン旅行を計画することになり、簡単な会話を知らなければと思えてきた。だんだんスペイン語が身近になり、今はある程度スペイン語で会話ができる程度にまでなった。発音も正確ではなく、文法の間違いも多いが、彼は自分がスペイン語を話しているということ自体をとても楽しみ、その関心事はスペイン料理からスペインの歴史と文化にまで広がっている。

このような楽しみはどんな外国語であっても同じだ。スポーツが好きな韓国人の友達がいる。体育館で会った外国人と親しくなり、友達になったという。彼の英語は流暢とはいえない。しかし、ユーモア感覚が抜群で、頭の回転も早い。僕に会うときもたまに英語で冗談を言うが、僕は彼が言っていることを十分理解して笑うことができる。おそらく体育館で外国人の友達に会うときも、彼はそんなふうに自分なりの英語で気軽に会話を楽しんでいるのだろう。

あらためて、外国語学習を勉強としてではなく、時には趣味のように、また時には遊びのように楽しむことをおすすめしたい。趣味と遊びは似て異なるものだ。どちらも面白いから続けられるという点は同じだ。どんな趣味や遊びでも面白くないとすぐ飽きてしまう。では何が違うのだろうか。遊びは何も考えずただやればいいが、趣味は一定のレベルに達するまでは学んで身につけるプロセスが必要だ。外国語を始めて望むレベルに到達するまで、自らにどんな楽しみを与えつつ持続していくのか。ひょっとすると、どの外国語を学ぶかを決めたら次に解決しなければならないミッションは、楽しみを維持する方法を見つけることかもしれない。それこそが外国語学習が続くかどうかを判断する物差しではないか。さて、あなたはどのように楽しみを維持するのだろうか。

15

言語の巡礼者
ロバート・ファウザーの
新たな挑戦、
次はイタリア語だ！

僕のイタリア語チャレンジは依然として現在進行形だ。正直、順調とは言い難い。しかし、イタリア語への挑戦はこれで終わりかと言われれば、さにあらず。ひょっとすると、僕は今停滞期を経験しているのかもしれない。この停滞期を越えて新たなステージに進む喜びの瞬間を待ちわびつつ、ゆっくりと前進している。かつて味わったワクワクを思い浮かべながら前に進むこと、それこそが外国語学習の道であり、僕にとっての喜びだという事実を忘れずに。

どうせなら一度も触れたことのない言語を

先ほど、2018年にスペイン語の実力を回復させたい一心で約２週間マドリードに滞在した話をした。アメリカに戻って毎日スペイン語のニュースを聞いたり新聞を読んだりしているうちに、徐々にスペイン語に接する時間が増えていった。

この数10年間、ほとんど毎日英語と韓国語、日本語のニュースを見たり新聞と本を読んで過ごしてきた。世の中の多様性を経験するにはこの程度で十分だと思っていた。しかしそうではなかった。スペイン語を通じて眺める世の中はまったくの別物だった。これまで見慣れた世界とはまた違う世界が開かれる気分だった。世の中を眺める視野が瞬く間に拡張された感覚だった。

そのうち、また別の欲が出てきた。これまでまったく触れたことのない新しい言語をもっと勉強してみたいと思ったのだ。ちなみに、このような気持ちは初めてではない。世の中には無数の言語があり、学びたいと思った言語も多い。１年ほど前はポルトガル語を勉強しようと思った。しかし、どういうわけかうまく進まず、諦めた。再トライしてみようか、とも思ったが、一旦やめた言語をまたやりなおすのも気が進まなかった。ドロップアウトの記憶が浮かんで愉快ではなかったからだ。

では、どんな言語にすべきなのか。2019年５月、『ロバート・ファウザーの都市探求記』出版以後、ちょうどオンライン新聞『プレシアン（프레시안）』に都市に関する文を連載していた。どうせなら都市発達史と関連のある言語が良かろうと思った。まず、ドイツ語とフランス語が思い浮かんだ。学んだこともあるし、ある程度馴染みがあるので、やり直せば実力をさらに高められるのではないかと思った。

しかし、どうも新鮮味に欠けていた。どうせならいままで一度も触れたことのない言語を始めてみようと思った。

ロシア語が脳裏をかすめた。言語学の分野や外国語教育において重要な言語なので、学んでおいて損はないと思った。しかし、ロシア語は完全に異次元の存在に思えた。きちんと学ぶには時間もかかりそうだ。これまでの経験を考えると、いざ学び始めれば上手くなりたいと思うだろうし、本格的にやりたいと思うだろうが、色々な状況を考慮するとそこまでのやる気が起きなかった。

都市発達の歴史において重要で、学んだことがなく、それでいてちょっと気軽に始められる言語って何だろう。しばらく贅沢な悩みが続いた。そこで思い浮かんだのがイタリア語だった。初めて勉強する言語ではあるが、スペイン語と同じロマンス語群でもあるし、これまで学んだスペイン語の知識が活用できると思った。しかも学んでおけば、全世界の都市発達史の上で重要なローマ、ヴェネツィア、フィレンツェ、ミラノをはじめとするイタリアの都市国家に対する情報の数々にはるかに簡単にアクセスできる点も魅力だった。さらにイタリアの豊かな美術、デザイン、そして食文化をその国の言語で楽しめるという点もポイントが高かった。

現実的な目標を立てる

さあ、これからイタリア語を勉強します！と決心したからといって、外国語の勉強が自然にできるわけではない。まず、これまでの外国語学習の経験を振り返り、果たしてどの程度のレベルまでイタリア語を学びたいのか考えた。つまり、外国語の振り返りだ。

イタリア人のように流暢に話したいという高い理想は掲げずに、現実的な目標を立てた。ネイティブスピーカーのように発音できなくてもいいし、彼らのように派手なジェスチャーを使わなくてもいい。イタリア旅行がもっと楽しくなるくらいで十分だった。旅行をしながらイタリアについてもっとよく知りたかったし、イタリア人と会う機会も欲しかった。都市に関心があるので、イタリアの都市再生関連の本や雑誌、記事などを読むことができればという目標も立てた。しかし、あまり焦らないことにした。イタリア語の勉強は生活のためではなく、あくまで教養と関心事を広げるためであることを肝に銘じた。

短期的にはまずイタリア旅行を計画した。旅行のことを考えると、ずっと楽しく勉強を始められそうだった。これに合わせて段階的で具体的な目標を立てた。

1. イタリアに行く前に発音の体系と挨拶言葉を含む基礎会話を身につける。
2. 現地に行って発音と基礎会話を練習する。夕方には基本文法を勉強する。
3. 旅行を終えて帰ってきたら、単語と読書を中心に勉強する。

計画を立てながら、ずっと前にミラノで開かれた学会のときのことを思い出していた。そこで出会ったイタリア人たちの会話を聞きながら、イタリア語とスペイン語がかなり似ているという感じを受けた記憶が浮かんだ。そのことを考えると、スペイン語も学んだことがあるし、少しは役に立つだろうと思った。フランス語を習った経験も役に立ちそうだから、ひとまずスタートアップの自信がついた。外国語を学ぶときは、新しい発音を身につけるのが特に楽しい。オペラの言語であるイタリア語を自分の口で発音すると思うとわくわくした。

始まりはアルファベットから。紙の本なしで学び始めた初めての外国語

まず基本のアルファベットと発音を覚え始めた。幼い頃から言語ごとの音の違いが不思議で興味深かった。新しい音を聞くことも、自分で発音してみるのも楽しい。だから、新しい外国語を始めるときは、僕はいつもアルファベットの発音からマスターすることにしている。

イタリア語はスペイン語と近いため、ややもするとスペイン語のように発音してしまうおそれがあった。二つの言語が音にどのような違いがあるかを注意深く調べた。YouTubeが非常に役に立った。

「cappuccino」[kapputˈtʃino]（カプチーノ）のようにすでに英語化したイタリア語の発音は簡単だったが、[k] の発音を出す「ch」は難しかった。お菓子やアイスクリームによく使われる「pistacchio」[pisˈtakkjo]（ピスタチオ）を思い浮かべてみよう。ここで「ch」の部分の発音はどうすればいいのか。英語で発音すると「ch」は [ʃ] になる。しかしイタリア語では [k] と発音する。英語とも違うし、スペイン語とも違うので真似するのが難しかった。この発音を記憶するために「macchiato」[makˈkjato]（マッキャート）の発音を常に参考にした。

スペイン語と似ている点はずいぶん学習の助けになった。例えば、「gn」の発音はスペイン語の [ñ] と同じだ。「gnocchi」[ɲɔk.

ki]（ニョッキ）のように前に来たり「Bologna」[bo'loɲɲa]（ボローニャ）のように途中に来るときは同じ発音になる。もちろん書き方の違いはあるが、ほとんど同じ単語もかなり多い。イタリア語でトイレは「bagno」['baɲɲo] で、スペイン語では「baño」['baɲo] だ。発音もほぼ同じだ。英語のネイティブスピーカーは特にスペイン語の [r] と [rr] の発音に苦戦するが、これもイタリア語と同じことだ。

スペイン語は表記と発音がほぼ一致しているので習いやすい。イタリア語も比較的そうだ。もちろんスペイン語に比べて気をつけるべき部分は多いが、フランス語や英語ほど複雑ではなく、ずっとシンプルだ。表記と発音が異なる言語の場合は規則を覚えなければならない。諦めて、慣れるまで繰り返し練習して自分のものにしなければならない。

イタリア語を習い始めたとき、韻律が難しそうだという覚悟をした。韻律とは、声調、イントネーション、アクセント、リズム、音の長短などのことだが、慣れるまでには時間がかかるのが常だ。YouTubeなどでイタリア人の対話を聞いてみると、一定の規則があることが分かった。たいてい、最後から２番目の音節にアクセントがあり、そうでない場合はアクセント記号を目印にすればいい。イタリア語は音楽のように聞こえると言われているが、そう感じられる秘密はこのアクセントにあることが分かり、これこそがイタリア語の魅力に思えた。ネイティブのアクセントを真似しながらだんだん身につけていく楽しさがあった。

いよいよ旅行の日が迫ってきた。「grazie（ありがとうございます）」、「buon giorno（こんにちは）」、「buona sera（こんばんは）」などの基本的な挨拶はすでに十分マスターした。前置詞、接続詞、関係詞のような基本項目も比較的簡単に身につけた。いつもは外国語を習い始めるとき、前置詞、接続詞、関係詞などは後回しにしがちだ。だが、この部分を知っておけばイタリアの看板と簡単な文章を理解するのに役立ちそうだと思い、旅行前に学んでおいた。イタリア語は多くの点でスペイン語と似ている。いくつか例を挙げてみよう。

〈不定冠詞〉
イタリア語：un/uno（男性） una/un（女性）
スペイン語：un（男性）/una（女性）

〈前置詞〉
イタリア語：che
スペイン語：que

この他にも「いくらですか？」という言葉はスペイン語で「¿Cuánto cuesta?」だが、イタリア語では似たような「Quanto costa?」である。「トイレはどこですか？」はスペイン語で「¿Dónde está´el baño?」だが、似たイタリア語では「Dov'è il bagno?」だ。

似たような言語を経験したおかげで、新しい言語を学ぶストレスは確かに少なかった。ドイツ語のように文法が難しかったら苦しかっただろうが、スペイン語のおかげで簡単に学ぶことができ、それによってイタリア語を話すたびに気分が良かった。スペイン語の基礎がなかったら、このような気持ちを持つことは難しかっただろう。言語の距離が近い外国語を学んでおけば、新しい外国語の学習にどれだけ役立つかを改めて実感した。反面、韓国人が言語の距離が遠い英語の勉強のためにどれほど努力しなければならないのかも改めて気づき、数多くの韓国人が僕に愚痴ってきた「英語ストレス」のことも改めて深く理解することができた。

このようにイタリアに発つ前に基礎文法をはじめ動詞の活用を勉強し、発音はGoogle辞書とYouTubeを通じて身につけた。スペイン語と似て異なる部分も多く、それを集中的に学んでいった。

特筆すべき点は、これらすべてをパソコンとインターネットの助けを借りて勉強したということだ。必要に応じて、その都度インターネットを通じて多様な資料と機能を活用した。単語検索はGoogleに入力さえすれば、意味の解釈はもちろん発音まで一発で解決できた。外国語学習のために準備する必要があった数多くの道具がいらなくなった今の世の中、欲しい情報をすぐに得られることはもちろん、さまざまな選択肢で溢れかえる世の中を実感した。これまで数多くの外国語を学習しながら、紙の教科書と参考書がなかったのはイタリア語が初めてだった。

イタリアの旅、現地で学ぶ楽しみについて

ついにヨーロッパ行きの飛行機に乗り込んだ。ドイツのブレーメンで開かれた学会に参加した後、ハンブルクを経てイタリアに向かった。ヴェネツィア、パドヴァ、ボローニャ、ラヴェンナ、フィレンツェを回った後、ミラノから再びアメリカに戻る旅程だった。初めてのイタリアではなかったが、今回はみっちりと会話練習をするというプランを立てての旅行だったおかげで、以前よりずっとわくわくしながら飛行機に乗った。

イタリアでの日程は観光中心だったが、マドリードでもそうだったように昼間は街歩きをしながら学んだことを練習し、夕方には宿で新しい単語と表現を身につけた。

マドリードでスペイン語を勉強したときは、一応遠い昔に習った記憶があったので、スペイン語のテキストをゆっくり読みながら単語を覚えるという方法を取ったが、イタリア語は完全なビギナーだということで方法を変えた。インターネットやYouTubeを通じて、翌日行くところやイタリア文化に関連した単語を検索して関心がある内容を見聞きした。最も役に立ったのはGoogle翻訳だった。イタリア語の発音を練習するのには最高のツールだった。

かつて海外旅行に行く前には、その国の数字と時間の読み方を

イタリア語を学ぶための旅行中に立ち寄ったボローニャの街角

必ず学んでおかなければならなかった。だが今は違う。スマホをちょっと見せれば済むので、慌てて学ぶ必要はない。イタリア料理のメニュー名も今ではほぼ世界中でありふれたものになっているため、特に調べる必要はない。意外なことに、最も必要なのは具体的な材料と味を説明する単語だった。

「melanzana（ナス）」、「fungho（キノコ）」、「patata（ジャガイモ）」、「pomodoro（トマト）」、「manzo（牛肉）」、「pollo（鶏肉）」、「maiale（豚肉）」、「pesce（魚）」などを前日の夕方、宿で一生懸命覚えた後、翌日食堂で使って食べるときの楽しみといったら！

見知らぬ都市を回っているときに偶然出会う単語は特に頭に残る。ラヴェンナの美術館の前を通ったとき、「Mostre」と大きく書いてあった。いったい何のことかわからなかった。検索してみると「展示」という単語だった。展示はスペイン語で「exposición」、英語では「exhibition」である。まったく似ていない。イタリア語の「mostre」は、僕の記憶に深く刻み込まれた。

他にもそんな単語がある。それは小さなカフェで学んだ単語だ。

夕食を食べに入ったカフェの従業員は、英語がほとんど話せないと言った。食事の注文をしようとすると「chiuso」という言葉を繰り返す。その言葉がどういう意味なのか突き止めるのにずいぶん時間がかかった。ドアを閉めるという意味だった。彼は閉店時間だと言いたかったのだ。その後あちこちで「chiuso」を見たり聞いたりした。学びたてだからか、行く先々で目についた。「mostre」と同様によほどのことがない限り忘れることはなさそうだ。

そんなふうに、一日に数十個の単語があちこちから飛び出してきた。即検索して知る楽しさは格別だったが、だからといって未知の単語が出るたびにスマホを取り出して検索するわけにもいかなかった。どんな路地であれちょっと入り込めば知らない単語だらけだったのだから。いちいち検索して意味が分かったとしても、全部を覚えることはとても無理だった。街歩きをしながら一日に新しい単語をいくつか覚えることで満足しようと割り切ると、単語を検索する頻度は減った。最初は常にスマホを手に握っていたが、何日か経つとポケットに入れっぱなしになった。覚える単語の数が少なすぎるのではないかとも思ったが、ちりも積もれば何とやらで、そんなふうにしてずいぶんたくさんの単語を覚えた。できる範囲のことにのみ集中した結果だった。

そのカフェで無事に夕食を食べられたかって？　幸いサンドイッチとエスプレッソを注文して食事を終えることができた。従業員は私にどこから来たのかと尋ね、「アメリカから来た」と言ったら、「叔父がシカゴに住んでいる」と言った。もっと話がしたかったが、できなかった。僕にはイタリア語の実力がなく、彼には英語の実力がないので、ただにっこり笑って別れの挨拶を交わすしかない。宿への道すがら考えた。

「そろそろ単語や発音や基礎会話からは卒業かな」

もう一歩アップグレード、しかし予想は裏切られた

動詞と動詞の活用を本格的に学びたかった。ちょっとした一言を交わす程度で満足せず、もう少し余裕を持って言葉を交わしたかった。そのためには文法の勉強をきちんとしなければならないことが明らかだった。いくら挨拶の言葉を練習して、多くの単語を身につけても、さらに深い会話、さらに深いテキストの理解のためには、文法という関門を通過しなければならない。そうして初めて言いたいことをきちんと言うことができ、文章をきちんと理解することができる。そのときの気持ちとしては宿に帰ってすぐにでも文法の勉強を始めたかった。しかし、すぐにこんな嘆きの言葉が浮かんだ。

「旅行先で外国語文法の勉強なんて！」

考えるだけでもうんざりしてきた。マドリードでは平気だったのに、なぜここではこんなにも嫌なのだろう。考えてみるとそこには大きな差があった。スペイン語はすでにある程度分かるので心理的負担が軽く、イタリア語はまったく分からないから気が重いのだった。

しかし、冬来たりなば春遠からじの心意気で、その夜僕は勉強した。とても一生懸命勉強した。その日のマイ・ミッションは英語の「be」動詞に当たる「essere」と「stare」の活用を覚えることだった。スペイン語の「estar」と「ser」に似ていたので、それほど苦にならなかった。活用の例文を集中的に探しては身につけた。

さてその結果やいかに。現地で外国語を学ぶメリットは、昨日学んだことを翌日すぐ使えるという点だ。翌日から理解できる言葉が確実に増えたことを実感した。イタリアに来る前にもう少し文法の勉強をしておけばよかったと思った。

ここでも意外なことがあった。それはイタリア人とイタリア語

で話すチャンスはめったに無いということだ。私がイタリア語で話しかけると、相手は自然に英語で答えてきた。ボローニャには英語が上手な人が多く、イタリア語を使うことはほとんどなかった。フィレンツェでは外国人観光客が多いため、英語がこの都市の公用語のように思われるほどで、初級イタリア語を使うより英語を使う方が自然に感じられた。どこからどう見てもアメリカ人の僕に、誰かがわざわざイタリア語で話しかけてくれる可能性はゼロに近かった。そんなわけでイタリア滞在中、無理矢理イタリア語を使うような状況を作らなければならなかったが、それが本当に大変だった。もちろんイタリアに行く前に比べれば、実力は確実に上がったし、以前の旅行のときより言語を知ってからのほうが現地の都市を深く理解することはできたが、どこかに残る物足りなさは否めなかった。

むしろイタリアに来た外国人たちのほうが大きな助けになった。イタリアには外国から来たイタリア語使用者がとても多かった。ホテル、食堂、カフェ、商店、あらゆるところでイタリア語が流暢な非ネイティブに出会うことができた。英語が得意でない人たちとのコミュニケーション手段はひたすらイタリア語だった。イタリア人とは確かに発音やイントネーションが違うが、会話にはまったく問題がなかった。むしろイタリア人が相手に対する配慮をほとんどしてくれないのに対し、彼らは自分のような外国人が下手なイタリア語で話すことを最後まで聞いてくれ、話すときは私の実力を考えてとてもゆっくり簡単な言葉で答えてくれた。彼らとの短い対話の中でイタリア語で言葉を交わす自信もでき、単語や動詞の活用法をさりげなく学んだりもした。

外国語学習において、よく我々はネイティブから教わるのが最も効果的だと考える。でも、本当にそうだろうか。久しぶりに初心者の気持ちになって外国語を学び、ネイティブによる授業が無条件に良いわけではないかも知れないと感じた。いや、国家間の交流の度合いや移民の数も以前の世代に比べて圧倒的に増えた今日では、もしかしたらネイティブ授業にこだわり続けるほうが時代に合わないのかもしれない。

旅行の最後の日程は、フィレンツェを経てミラノで終わった。イタリアの代表的な観光都市だ。どの通りにも観光客が溢れ、英語の案内板もよく目についた。やはりどこでも楽に英語を使うことができた。イタリア語を学ぶためにわざわざ来てはみたが、英語を使わなければならないのが楽でもあり辛くもあった。小さな都市では相手が英語が下手なので、私が下手なイタリア語で話しても最後まで辛抱強く聞いてくれる人が多かった。だが、ここではみんな私がイタリア語を話し出す前に英語で流暢に挨拶をしてくる。彼らの前で下手な実力を披露するほどの度胸はない。せわしなく働いている人を捕まえて外国語の練習をしているわけにもいかなかった。韓国で会った若い友人たちに、英語を学ぶために海外研修に行くときは大都市が人気で、英語ではない外国語を学ぶときは大都市ではなく地域の小さな都市が好まれるという話を聞いたことがある。なるほどこういうわけだったのか。どんな外国語であれ、とにかく韓国人がほとんどいないようなところが好まれるのももっともだと思った。

学習も労働のように。
日常生活の中での独学

やりがいと達成感と物足りなさを胸にアメリカに帰ってきた。地道にイタリア語の勉強を続けることにした。スペイン語は以前の実力を回復することが目的だったので、インターネットで新聞と電子メール学習サービスをスタートすることができたが、イタリア語は依然として初心者レベルであり、方法を変えなければならなかった。

そこで、アプリケーションを活用して基本文法からしっかり学ぶことにした。アプリは単語と表現、機能語、動詞の活用などを

少しずつ教えてくれるのだが、あいにく僕が学びたいものとは方向性が違っていた。数回の試行錯誤を経て、それぞれのアプリの長所を選択し、交差的に利用して、集中したい部分を繰り返し身につける方法が合っているとわかった。自分にぴったりの方法を探すためには、あれこれやってみて経験を積むしかない。そうして初めて、欲しいものが手に入るのだ。

新しい外国語学習を始めるときの順序を自分にも応用した。まずは目的を決めるところからだ。

- イタリア語の新聞と本を読みたい。
- 旅行に行って現地の人たちと軽い日常会話をしたい。

次は教育機関を活用するか、独学するかを決める番だ。私は独学にした。教育機関ではそこで提供されているカリキュラムに従えば良いが、独学は学ぶ内容を自分で決めなければならない。いずれにしても「着実な学習労働」が前提になるのは同じだ。「学習労働」には次のような内容を必ず入れることにした。

- 毎日鏡の前で発音の練習をする。
- 日常生活の中で随時練習する。
- 単語と文章を書き写した後、朗読して暗記する。
- 多くの人と対象言語で話す機会を積極的に見つける。

学界では外国語学習における発音の重要性に関する論争が続いているが、僕にとって発音はどんなことよりも重要だ。僕は外国語を学ぶとき、不慣れな発音を自分のものにしていくプロセスを楽しむタイプだ。うまくできなかった発音が練習を通してできるようになったときの喜びは、外国語学習で経験できる自分だけの特別なものだ。だが、これはあくまでも僕自身の好みにすぎない。ただ、発音が良ければ当然聞きやすいので、ネイティブスピーカーが好意的な反応を見せてくれる。ネイティブスピーカーからすれば、自分たちの言語を尊重してくれている印象を受けることになるだろうから、会話が一層楽しいものになる。ただ、そのような理由のためなら、すべての人が発音にこだわりすぎる必要はないと思う。

単語や文章を直接書いて朗読することは暗記に大きく役立つ。テキストを読むときに新しい単語が出てきたら、目で読むだけでなく何度も書いてみるのがいい。文章を丸写しするのはさらにいい。書くだけでも役に立つが、書いたものを繰り返し声を出して読めば、一層効果的に覚えることができる。

よく外国語学習の秘訣とやらが「これで暗記時間と量を減らすことができる」ということを強調するのを見るが、はっきり言ってそれは不可能だ。どんな方法を使ったとしても、外国語を学ぶためには絶対的な学習労働が前提にならなければならないが、この労働のメインは暗記だ。だから何かとっておきの秘訣を探そうとするよりも、暗記の必要性を認めて受け入れた方がはるかに精神衛生上いい。ただ、効果的な暗記法を探す意義はある。僕が見つけた方法は、ひたすら書いて声を出して読むことだ。

多くの人と対象言語で言葉を交わすことの重要性はいくら強調してもしすぎることはないが、対話は一人でできることではないので特に努力が必要だ。イタリア語での討論ではなく、簡単な日常会話をする程度を目標にした僕は、偶然出会ったイタリア人と軽く挨拶を交わすべく努力中だ。

一つ忘れていた。聞き取りだ。教育機関で外国語を習えば自然に解決する部分だが、独学は話が違う。もちろん映画やテレビなどを見ることが役に立つだろうが、どうも僕には合わないやり方だ。ただじっと座って聞くだけでは興味を持てない。幼い頃、両親が家にテレビを置かなかったことの影響かもしれない。今でもテレビは好きではないし、たまに見ても退屈なだけだ。映画はもちろん好きだが、毎日見ることはできないので、聞き取り練習の核心というより補助的な役割に留まっている。できれば聞き取り練習もやはり対象言語使用者との対話を通じて解決したいが、なかなか思い通りにはいかない。

スタートから１年、進度は今一つ。
でもイタリア語学習は現在進行形

イタリアへの旅からも、目標と学習労働の内容を定めてからも、いつのまにか１年があっという間に過ぎた。僕のイタリア語チャレンジは今どんな具合だろうか。

あいかわらず現在進行形だ。日進月歩上達していると書きたいが、正直進み具合はあまりぱっとしない。

2020年３月以降、アメリカも新型コロナウイルスによって日常が大きく揺らいだ。僕が住んでいるロードアイランド州もやはり、しばらくの間スーパー、薬局、ガソリンスタンドを除くほとんどすべての場所が閉鎖された。どこもかしこもオールストップだった。新型コロナウイルスによって壊されたのは日常だけではない。しようとしていたことは中断され、ささやかな計画はほとんど望み通りにいかなかった。イタリア語もスペイン語も思い通りにはいかなかった。頑張って回復したスペイン語の実力を確認するために計画していた旅行も、簡単な文章を書き、挨拶からもう一歩進んで軽い会話を交わすほど勉強した後、もう一度イタリアに行ってみようという計画も諦めざるをえなかった。家での時間はずっと増えたが、このような状況に対する懸念と不安、イライラのせいでイタリア語学習に集中できなかった。

僕がイタリア語を学ぶ重要な目的の一つが、イタリア旅行を楽しみ、現地の人々と楽しく交流しながら、新しい世界を深く知り経験することだが、アメリカ国外に出られない状況では、イタリア語の単語を覚えることも無駄なことで、さらには非現実的なことに感じられたりもした。

外国語に関する振り返り	
言語名	イタリア語
学習動機や理由	一度も学んだことのない外国語に対する好奇心
学習目的	イタリアを自由に旅行したい。都市文化史についての関心の延長として、イタリアのさまざまな都市の歴史と文化に関する多様な研究資料をイタリア語で読みたい。
学習目標	イタリア語で日常会話ができ、イタリア語の文章を自由に読めること。
対象外国語の学習経験（経験がある場合）	
使用可能なレベル	・読解：初級 ・作文：初級 ・会話：初級 ・聴解：初級
学習経験1	・いつ：約1年前から ・どこで：アメリカで独学。イタリアへの小旅行 ・どれくらい：基本文法と単語を覚えた程度。イタリア旅行は2週間ほど
学習経験2	・全体的な印象：スペイン語の実力を応用すれば比較的親しみやすく、発音がユニークなので会話練習が楽しい。 ・学習を通じて得たこと：すでに学んだ言語を通じて、近い言語を比較的簡単に学べるということが確認できた。 ・学習方法：インターネットで基本文法を学び、YouTubeを使って発音を学んだ。紙の教材なしで学んだ初めての外国語。
学習経験3	・楽しかった記憶：料理に関する単語を覚えることで、レストランでの注文がスムーズになった感じがする。簡単なイタリア語ではあるが、現地で直接コミュニケーションを取れたときのやり甲斐。 ・挫折した記憶：現地でいざイタリア語を使おうと思ってもあまり機会がない。新しいテクノロジーと英語が全世界を覆い尽くしてしまったような気分。
学習経験4	・満足した記憶：イタリア語のユニークな発音が身についたとき。 ・後悔している記憶：毎日コツコツと学習できずに実力が計画通りにつかなかったとき。
学習経験5	・一番伸ばしたいと思う部分：毎日の目標と学習量をきちんとこなすこと。
その他	

一方で、韓国語と日本語を使う時間ははるかに増えた。１年に数か月間滞在していた韓国と日本にも行けない状況が長引くにつれ郷愁がこみ上げてきたからだ。その言語に接する頻度を増やすことで、行きたいところに行けない無念さを晴らした。

では、僕の新しい外国語学習挑戦記はこれで終わりなのだろうか。いや、それは違うだろう。まっすぐ前進できるとは限らない外国語学習の過程で、ひょっとすると僕は今スランプのただ中にいるのかもしれない。この峠を越えて新しいステージに進むその喜びの瞬間を待ちながら、僕はゆっくりと前進している。どんな苦しみが来ても、かつて味わったことのある喜びを思い浮かべながら、これからもコツコツと進むこと、それこそが外国語学習の道であり、我々に与えられた喜びだという事実を忘れてはいけない。一生のつきあいとはこういうものだ。

先だって、外国語は僕にとって世界を見る窓だと言ったが訂正しよう。

外国語は僕にとって世界を見る窓であり、生涯の同伴者だ。こんな窓と同伴者付きの人生は思った以上に素敵だ。一つよりは二つがいいし、多ければ多いほどいい。読者の皆さん、あなたも勇気を出してそんな人生を一緒に歩んでみませんか。

訳者あとがき

「稲川くん、今なあ、うちに人からもろた納豆がようさんあるんや。よかったら取りに来ぃひんか」

夕方の授業が終わり、茜色から濃い藍色に変わり始めていた空が冠岳山のシルエットを漆黒の切り絵のように教室の窓に描き出した頃、その人は、今どき本場でもなかなか耳にできないたおやかな京都弁で僕に尋ねた。日本の味に飢えていた僕は二つ返事で、当時僕の愛車だった2001年型ヒョンデ・グレースをその人の家に向けて走らせた。何だかていのいい運転手のようでもあるが、納豆さえ貰えれば僕はそんなことどうでもよかった。車は夕闇の漢江を渡り、やがてごちゃごちゃと込み入った坂道がちの路地へと入っていった。当時、その人は景福宮と昌徳宮の間、ガイドブックでは「北村」と呼ばれるエリアの小さな韓屋に一人で暮らしていた。その人こそ『僕はなぜ一生外国語を学ぶのか』の著者にして僕の恩師、ロバート・ファウザー先生である。

ファウザー先生と僕のご縁は、2010年の秋に僕がソウル大学の韓国語教育科博士課程に入学したことに始まる。その後、2014年にアメリカに帰国されるまでの間、公私共に大変お世話になった。ファウザー先生はアメリカのミシガン州出身なのだが、実はミシガンは僕の出身地である滋賀の子供たちにとって、おそらく一番最初に覚えるアメリカの州名だ。というのも、お互いその国最大の湖（ミシガン湖と琵琶湖）を持つ間柄ということで、姉妹協定が結ばれており、大小さまざまな民間交流が行われているのだ。また先生は京都とも縁が深いこともあり、僕が滋賀出身だと伝えると「ほんまですか！」と独特のよく響くトーンの京都弁で喜んでくださったのを覚えている。

ファウザー先生のことを一言で表すならば、韓国語の「ゲッチャ（괴짜）」という言葉が真っ先に思い浮かぶ。日本語で「変人」とか「奇人」とか訳されることが多いが、それだとちょっと語弊があるかもしれない。そうそう、ファウザー先生の愛して止まない京都弁で言うなら「けったい」な人というのがピッタリだ。

さっきも言ったように、アメリカからソウルに来て、わざわざ韓屋に住むだけならまだしも、何年か後には景福宮駅からほど近いところ（今度は西村と呼ばれるエリア）に、韓屋を「新築」してしまい、韓国伝統の棟上式まで大々的に敢行した。北村や西村など、韓屋集中エリアの街づくり活動にも何やら積極的に参加していた。それだけでも十分「ゲッチャ」と呼ぶにふさわしいのだが、ファウザー先生の「ゲッチャ」たる所以は何と言ってもその言語学習遍歴にある。

青少年期にスペイン語を学んだのを皮切りに、大学では日本語を、そして1980年代のアメリカではまだまだマイナーだった韓国語をマスター。アイルランドで博士課程にいる時にはフランス語を……。その後、京都大学、鹿児島大学と日本の大学で教鞭を取って、その都度、京都弁、鹿児島弁を習得していく。学生時代に先生からもらったメッセージを読み返すと、「ほなよろしゅう」とか「よろしゅたのもんでな」などの言葉が踊っている。「鹿児島の大学で日本人の学生を相手に韓国語を教えていたアメリカ人」という、ちょっと聞き違いじゃないかと思うような経歴の持ち主だ。それだけではなく、ポルトガル語、中国語、モンゴル語、エスペラント語を学び、この本を書いていたころはイタリア語に夢中だったからというから、これを「ゲッチャ」と言わずして何を「ゲッチャ」と言うべきか。

この本には、そんなファウザー先生の「ゲッチャ」っぷりが遺憾無く発揮されている。読み進めながら僕は、教壇に立って生き生きと学生たちに語りかける遠い日のファウザー先生の姿が活字の間に浮かぶようで、ちょっとジーンときてしまった。確かにあんなことを言っていた。こんなことも習わせてもらった。そんな思い出がどんどん浮かんでくるようだった。「人類はどのように外国語を学んできたのか？」「そもそも人が外国語を学ぶ理由は何か？」というテーマについて、数々の外国語と浮名（おっと！）を流してきたファウザー先生ならではの、理論と経験に基づいた解説は、ともすれば退屈になりがちな専門的な話を、まるで立板に流るる水のごとく朗々と語られる名講釈師の語りのように、読者をめくるめく言語のワンダーランドに引き込んでいく。

また、外国語に興味はあるものの、そこまで「ゲッチャ」にはなりきれない、おそらく数の上では圧倒的マジョリティであろう迷える子羊たちの、「どうすれば外国語が上手くなるのか？」「外国語学習に王道はあるのか？」という疑問にも、張り扇をパンパンパパンと叩きながら名調子で答えてくれる。それだけじゃあない。コロナ禍を経験し、世の中のAI技術が目も眩むようなスピードで進歩する中、それでも苦労して「外国語を学ぶことに一体どんな意味があるのか？」という、学習者も教育者も直面している大問題についても痛快なファウザー節がうなりをあげる。いやはや、僕が高い学費を払って聞いた話を、もってけ泥棒レベルの格安で読めるというのだから、こりゃあ読まなきゃ損だよお立ち合い。バンバン！

こんな素晴らしい本の翻訳を仰せつかって恐悦至極全身大汗なのだが、原文に目を通してはて、と困ったことが一つあった。それは韓国語で「나」と書かれている一人称だ。大学教授の手による著書であるし、かなり専門的な内容も含まれている、真面目といえば真面目な本なので、おそらく「私」とし、語尾は「～である」調でいくのが順当なところなのだろうが、行間から滲んでくるファウザー先生の肉声には「私」や「である」はどうも似合わ

ない。僕の知るファウザー先生はたぶんもっとカジュアルな気持ちで読者に語りかけているような気がしてならない。ということで、一人称を「僕」とし、語尾は「～だ」で統一したい旨を、事前にファウザー先生本人に連絡し、快諾していただいた。こういう相談も、僕が先生のキャラというものを知っており、何より先生が「私」と「僕」という日本語のニュアンスを正確に把握していらっしゃるからこそ可能なことだ。

誰よりもファウザー先生の言葉を読者の皆さんにありのままにお届けすることが、この光栄な役目を仰せつかった教え子の務めならんと思い、身の引き締まる思いで翻訳に携わった。この本を通じて、外国語が与えてくれる人生の楽しさを一人でも多くの人に実感していただければこんな嬉しいことはない。

2023年、風に秋の気配が混じりはじめた大阪にて

稲川右樹

参考文献

Bodmer, Frederick and Lancelot Thomas Hogben, *The Loom of Language: An Approach to the Mastery of Many Languages*, New York: W. W. Norton & Company, 1985.

Collins, Lauren, *When in French: Love in a Second Language*, New York: HarperCollins Publishers, 2017.

Council of Europe, *European Language Portfolio*, Bern: Berner Lehrmittel- und Medienverlag, 2001.

Crystal, David, *English As a Global Language*, New York: Cambridge University Press, 2017.

Erard, Michael, *Babel No More: The Search for the World's Most Extraordinary Language Learners*, New York: Free Press, 2012.

Kühn, Bärbel and Cavana M. L. Pérez, *Perspectives from the European Language Portfolio: Learner Autonomy and Self-Assessment*, London: Routledge, 2012.

Looney, Dennis and Natalia Lusin, *Enrollments in Languages Other Than English in United States Institutions of Higher Education, Summer 2016 and Fall 2016: Final Report*, Modern Language Association of America, June 2019, p. 29.

Pennycook, Alastair, *The Cultural Politics of English as an International Language*, London: Longman, 1994.

Phillipson, Robert, *Linguistic Imperialism Continued*, New York: Routledge, 2009.

Pimsleur, Paul, *How to Learn a Foreign Language*, New York: Pimsleur Language Programs, 2013.

Stern, H. H., *Fundamental Concepts of Language Teaching*, Oxford: Oxford University Press, 1983.

大谷泰照,『異言語教育展望:昭和から平成へ』くろしお出版, 2013.

千野栄一,『外国語上達法』岩波新書黄版 329, 岩波書店, 1986.

寺沢拓敬,『「なんで英語やるの?」の戦後史:《国民教育》としての英語, その伝統の成立過程』研究社, 2014.

村上春樹,『やがて哀しき外国語』, 講談社, 1994.

게이브리얼 와이너, 강주헌 옮김, 『플루언트 포에버 : 어떤 언어든 빨리 배우고 잊지 않는 법』, 민음사, 2017.

김성우, 『단단한 영어공부 : 내 삶을 위한 외국어 학습의 기본』, 유유, 2019.

로버트 파우저, 『외국어 전파담 : 외국어는 어디에서 어디로, 누구에게 어떻게 전해졌는가』, 혜화1117, 2018.

___________, 『로버트 파우저의 언어의 역사』『시사저널』, 2020.

___________, 『사회의 언어』, 『한겨레 신문』, 2020~2021.

롬브 커토, 신견식 옮김, 『언어 공부 : 16개 국어를 구사하는 통역사의 외국어 공부법』, 바다출판사, 2017.

리처드 로버츠·로저 쿠르즈, 공민희 옮김, 『서른, 외국어를 다시 시작하다 : 심리학자가 말하는 어른의 외국어 학습 전략』, 프리렉, 2016.

미하이 칙센트미하이, 최인수 옮김, 『몰입 : 미치도록 행복한 나를 만난다』, 한울림, 2004.

스티븐 D. 크라센, 김윤경 옮김, 『외국어 교육 이론과 실제 : 학습인가, 습득인가』 한국문화사, 2000,

쓰다 유키오, 김영명 옮김, 『영어 지배의 구조』, 한림대학교 출판부, 2002.

앤서니 P. R. 호와트, H. G. 위더슨, 임병빈 외 옮김, 『영어교육사』, 한국문화사, 2012.

윌리엄 리틀우드 안미란 옮김, 『의사소통적 교수법』, 한국문화사, 2007.

잭 C. 리처드, 시어도어 S. 로저스, 전병만·윤만근·오준일·김영태 옮김, 『외국어 교육 접근 방법과 교수법』, 케임브리지, 2003.

Profile

著者：ロバート・ファウザー

1961年アメリカのミシガン州生まれ。ミシガン大学で日本語・日本文学を専攻し、ソウル大学で韓国語を学ぶ。ミシガン大学で言語学修士、アイルランドのダブリン大学トリニティ・カレッジで言語学博士号を取得。
高麗大学、立命館大学、京都大学で英語と英語教育を教えた後に韓国語教育に転向。鹿児島大学で教養韓国語の授業を開設・担当したのち、ソウル大学国語教育科初の外国人教授になった。また、2014年アメリカへ帰国したのちに韓国語で本の執筆活動を始める。著作に『西村(ソチョン)ホリック』、『未来市民の条件』、『外国語伝播談』『ロバート・ファウザーの都市探究記』など。
趣味は語学、写真、古い町並みの散策。

訳者：稲川右樹（いながわ・ゆうき）

帝塚山学院大学リベラルアーツ学部准教授（韓国語専攻コース）。ソウル大学言語教育院に語学留学、その後、時事日本語学院などで日本語教育に携わる。ソウル大学韓国語教育科博士課程単位取得満期退学後、2018年に帰国。現在は大学で教鞭をとりながら、韓国語セミナーを行うなど、精力的に活動している。
著書に『一週間で驚くほど上達する！ 日本一楽しい韓国語学習50のコツ』（KADOKAWA）、『ゆうきの「韓国語表現力向上委員会」発！ ネイティブっぽい韓国語の表現200』、『ネイティブっぽい韓国語の発音』（ともにHANA）などがある。現在中国語も学習中。
X（旧 Twitter）@yuki7979seoul

僕はなぜ一生外国語を学ぶのか

2023年11月15日　初版第1刷発行
2024年 3 月25日　第2版第1刷発行

著者	ロバート・ファウザー
訳者	稲川右樹
校正	嶋田有里
ブックデザイン	安藤紫野
DTP	アロン デザイン
印刷	大盛印刷株式会社
発行人	永田金司　金承福
発行所	株式会社クオン

〒101-0051
東京都千代田区神田神保町1-7-3
三光堂ビル3階
電話：03-5244-5426
FAX：03-5244-5428
URL：https://www.cuon.jp/

ISBN 978-4-910214-53-5 C0098